BEBÉ GOURMET

Pilar Llanos y Luz Machinandiarena

EDITORIAL ATLANTIDA

Editora: Silvia Portorrico

Producción general: Susana Olveira
Cristina Meliante

Diseño de interior y tapa: M&A gráfica

Ilustraciones: Alfredo *Chino* Yuen

Foto: Ariel Gutraich

Supervisión de arte: Natalia Marano

Producción industrial: Sergio Valdecantos

Preimpresión: Masterpress

prólogo

Este libro tiene como destinatarios a madres y padres que sienten responsabilidad no sólo por el hoy de sus hijos sino también por las bases que cimentarán su futuro de jóvenes y adultos. Los hábitos de alimentación y de vida forman parte de ese cimiento. Para todos ellos, *Bebé gourmet* cuenta con un gran respaldo, avalado por…

… una intensa vida profesional, con muchas horas dedicadas a la consulta individual de mujeres que son madres, que dejan traslucir en todas las entrevistas el grado de preocupación que les genera la alimentación de sus hijos;

… una actividad educadora, desde lo nutricional, durante la cual se pulsan preguntas, mitos, inseguridades, tradiciones familiares, costumbres e influencias;

… un convencimiento de que "se aprende a comer" de la misma manera que se aprende a caminar, a hablar, a leer. Siempre paso a paso, con paciencia y buenos ejemplos;

… la certeza de que son los primeros años el momento ideal de la vida para llevar a cabo esta enseñanza.

A todo esto se suma un mirar para adentro y reconocer cuánta seguridad nos dio en nuestra vida como mamás nuestra profesión, a través de los conocimientos adquiridos y es desde esta mirada que nos surge la necesidad de orientar a otros para que recorran su propio camino.

El objetivo siempre es crecimiento para todos. Crecemos como padres y profesionales, mientras nuestros hijos crecen como niños.

La salud es la meta: niños sanos y con sólidos hábitos de alimentación y de vida se proyectarán como adultos también sanos, con muchas más posibilidades y armas para enfrentar la lucha cotidiana y vencer en el intento.

Las autoras

Pilar Inés Llanos

- Licenciada en Nutrición, Universidad de Buenos Aires.
- Profesora titular de Técnica Dietética, profesora titular de Dietoterapia y profesora de Metodología Educativa en Nutrición, en la carrera de Médico Especialista en Nutrición en la Facultad de Medicina del Instituto Universitario Fundación Barceló.
- Docente del curso de Nutrición Clínica en la Sociedad Argentina de Nutrición.
- Integrante de la Subcomisión Científica de la Sociedad Argentina de Nutrición.
- Miembro fundador e integrante de GESA, Grupo Educador en Salud y Alimentación.
- Colaboradora nutricional en la revista *Buena Salud*.
- Colaboradora nutricional en Editorial Atlántida (revista *Para Ti* y otras).

LIBROS PUBLICADOS:
- *Cocina fácil para la mujer moderna,* Choly Berreteaga (Sección Cocina - Salud), Editorial Atlántida, 1977-1984.
- *Avances en diabetes y Nutrición,* Doctor A. Zabala y colaboradores, Editorial Celsius, 1987.
- *Prepare dietas para todos,* con Miriam Becker, LID Editores, 1988.
- *Obesidad, patogenia, clínica y tratamiento,* Doctor Jorge Braguinsky y Colaboradores, Editorial El Ateneo, 1996.

Luz Machinandiarena

- Licenciada en Nutrición, Universidad de Buenos Aires.
- Administración hotelera, IBAHRS.
- Curso de cocina, *Manor Farm de Caroline Yates. Leith's School of food and wine teacher*.
- Maestra de Nutrición en inglés, colegio San Marcos, 1991-1998.
- Integrante de GESA, Grupo Educador en Salud y Alimentación.
- Integrante del equipo para la evaluación nutricional de deportistas del Club Argentino de Tenis, 2001.
- Integrante del equipo de evaluación nutricional del libro *Cocina Sana* de Carlos Arguiñano, 2000.
- Servicios de *catering*, 1991-2002.

lo que hay que saber sobre nutrición ahora y para siempre

Estamos iniciando un libro pensado para ayudarla, como flamante mamá, a entender situaciones y a simplificar tareas. Pero también servirá para que su bebé coma variado y saludable. No hay que perder de vista que mucho de su futuro adulto dependerá de cómo son los primeros pasos en el aprendizaje de comer.

Es probable que usted tenga algún conocimiento sobre nutrición porque hoy se habla mucho de ello. Claro que lo importante a tener en cuenta es que los buenos principios que ponga en práctica con su bebé redundarán en beneficios para toda la familia, porque la acción de los nutrientes no es distinta en cada etapa de la vida: sólo prioriza y se adapta a las necesidades que tiene el ciclo vital por el cual se transita.

Para todos, la energía es importante y el calcio, las proteínas y las vitaminas cumplen funciones semejantes. ¿Quiere saberlo? Le explicamos el abecé.

energía

La **energía** se expresa en calorías y las personas, por el simple hecho de vivir, necesitan un básico a cubrir que se incrementa por cada demanda extra: crecer, moverse (a más movimiento más demanda), trabajar física o mentalmente (también requiere energía), hacer frente a situaciones no normales (enfermedad, fiebre, etcétera).

En el niño se dan las tres demandas básicas: vivir, crecer y moverse. Si algo falla y la alimentación es insuficiente el niño no puede cumplir con ellas: vive pero es más quieto y no crece.

Cuando la energía potencial que se ingiere con los alimentos es excesiva, se acumula como reserva (en forma de grasa) y el peso corporal es mayor que el esperado. Por el contrario, un peso por debajo del deseable nos puede estar dando indicios de que la energía que se ingiere no alcanza a cubrir las demandas.

los nutrientes

Cuando hablamos de nutrientes nos referimos a todas aquellas sustancias que aportan los alimentos y en el organismo cumplen una función determinada indispensable para la salud: glúcidos (hidratos de carbono), grasas, proteínas, vitaminas, minerales, fibras y agua.

Los nutrientes energéticos

La energía se obtiene fundamentalmente de los **glúcidos** (hidratos de carbono) y de las **grasas**.

Se denomina **glúcidos** a los nutrientes energéticos por naturaleza y durante toda la vida (especialmente después de los dos años) la mitad o más de la energía provendrá de ellos. Integran esta familia los azúcares y el almidón.

Los azúcares son los más simples y de hecho el primer glúcido que llega al niño es un azúcar, o sea la lactosa de la leche materna.

Integran los azúcares la sacarosa (azúcar de mesa), la fructosa (azúcar de las frutas y la miel), la lactosa (azúcar de la leche) y la glucosa (que es el azúcar más simple y de más fácil absorción, ya que no necesita ser digerida). Están presentes en la leche y el yogur, las frutas y algunas verduras.

El almidón, en cambio, es un glúcido de mayor complejidad, de digestión más laboriosa, que necesita ser cocinado o sometido a tratamientos industriales especiales, ya que crudo no puede ser digerido. Se encuentra almidón en las féculas (de cereales o tubérculos), en las harinas de cereales, en los tubérculos (papa, batata) y en todos los productos que se elaboran con ellos.

El niño comienza a ingerir almidón cuando deja de tomar sólo leche y empieza a comer papillas. En ese momento su aparato digestivo estará en condiciones de recibirlo.

Las **grasas** constituyen el nutriente más calórico que ingerimos, lo que sin duda debe constituir un alerta para toda la vida. Pero también cum-

el valor de las grasas
- *El niño tiene poca capacidad gástrica; de allí que las comidas que se le ofrezcan deberán incluir la mayor cantidad posible de energía y de nutrientes en el volumen que coma.*
- *Hay que considerar que hasta los 2 años, la participación de las grasas para aumentar la densidad energética de las preparaciones es importante. Por eso recomendamos consumir lácteos enteros.*
- *Después de los 2 años, las grasas empiezan a tener una participación menor y será suficiente con que cubran el 30 a 35 por ciento de las calorías totales del día.*

plen funciones específicas aportando **ácidos grasos esenciales** (que son esenciales porque los necesitamos y no los podemos fabricar). Algunos son poliinsaturados como el ácido linolénico (Omega 3) y el ácido linoleico (Omega 6) y otros no esenciales pero muy favorables como el ácido oleico (monoinsaturado).

La presencia de ácidos grasos es básica para el desarrollo neuronal y para todos los ciclos vitales, ya que nuestras células tienen ácidos grasos en sus membranas y, cuanto más saludables sean éstos, mejor estado tendrán las células y el órgano al que pertenezcan. También cumplen la función de transportar las vitaminas liposolubles (vitaminas A, D, E y K).

atención: *sólo el médico puede restringir las grasas si lo considera necesario.*

Es fácil comprender que para el niño, quien debe terminar su desarrollo neuronal, crecer y desarrollarse, las grasas sean un nutriente indispensable y por lo tanto siempre habrá que prestarle atención a su calidad.

En los primeros meses de vida la lactancia materna asegura un 50 por ciento de las calorías provenientes de este principio nutritivo y, en general, durante los primeros dos años la participación de las mismas es fundamental.

Los nutrientes formadores y reguladores de tejidos

Hablaremos aquí de las **proteínas**, el **agua** y los **minerales**.

Las **proteínas** constituyen el elemento formativo primordial para todas las células del cuerpo. Por lo tanto el organismo depende de que las proteínas de los alimentos le suministren los componentes indispensables para que él pueda construir, mantener y reparar **todos** los tejidos activos (incluyendo órganos, sistemas, enzimas, hormonas, etcétera).

A esos componentes básicos que forman las proteínas se los llama aminoácidos. Algunos de ellos son indispensables, porque no podemos fabricarlos en nuestro organismo (se llaman aminoácidos esenciales).

Ciertos alimentos cuentan con proteínas que contienen todos estos aminoácidos, o sea que poseen proteínas completas, las de más alto valor nutricional para el crecimiento y el desarrollo. Es el caso, por ejemplo, de las proteínas de origen animal: huevo, leche, queso y carne.

Otros alimentos, en cambio, pueden tener alta cantidad de proteínas, pero sin incluir a la totalidad de los aminoácidos esenciales. Se habla entonces de que tienen proteínas incompletas; es el caso de las proteínas de origen vegetal: legumbres, cereales y verduras.

En el transcurso de la vida las proteínas son importantes, pero durante la niñez es indispensable atender a su provisión en cantidad y calidad suficientes, ya que de ello depende el crecimiento y el desarrollo del niño.

El **agua** es el nutriente más importante para la vida después del oxígeno. El ser humano puede vivir varias semanas sin alimentos, pero horas sin agua y minutos sin oxígeno.

En el niño este requerimiento se hace más imperioso porque la mayor parte de su peso corporal es agua y, al no poder expresar por sí mismo el mecanismo de regulación que es la sed, es mayor el riesgo de deshidratación frente a situaciones agudas de pérdida (transpiración excesiva, fiebre, diarrea, etcétera).

Las funciones del agua en el organismo son múltiples ya que no sólo se necesita para integrar todos los tejidos, sino que transporta nutrientes y participa activamente de la digestión, absorción, circulación y eliminación de los mismos una vez que ya han sido utilizados. También colabora en la regulación de la temperatura corporal y en el equilibrio de las sales dentro y fuera de las células.

Los **minerales** son esenciales como componentes formativos y en el desarrollo de muchos de los procesos vitales. Forman parte de los tejidos, como el calcio de los huesos y dientes o de compuestos orgánicos corporales como el hierro en la hemoglobina del glóbulo rojo o el yodo en la hormona tiroidea.

Los alimentos en general van perdiendo los minerales que la naturaleza les otorga, a medida que son elaborados y refinados. Pero para estar seguros de una buena provisión de ellos no es suficiente estar atentos a la cantidad de mineral que provee el alimento sino también a las condiciones de digestión y absorción que presenta el mismo. A esto se le llama **biodisponibilidad**.

Conviene tener en cuenta que muchas veces los minerales están presentes, pero a veces forman compuestos difíciles de absorber, lo que no es conveniente desde el punto de vista nutricional.

Calcio: se trata del componente fundamental de los huesos y los dientes. Además el nivel de calcio en sangre regula el funcionamiento del sistema nervioso. Durante toda la vida el aporte de calcio es importante, ya que constantemente se renueva, pero es bueno conocer que la solidez de los huesos en el adulto mayor se gesta con suficientes aportes en los primeros 25 años de vida. La niñez, adolescencia, primera juventud, embarazo, lactancia y después de los 50 años, son todos momentos biológicos en los cuales se debe tener como objetivo no sólo cubrir las necesidades sino también que buena parte del aporte sea hecho a expensas de calcio de fácil digestión y absorción.

El calcio de los lácteos es en general de alta biodisponibilidad, ya que su absorción se ve favorecida por la lactosa y la vitamina D que poseen estos alimentos; en cambio los fitatos, los oxalatos y los fosfatos perturban su absorción y la disminuyen. Ésa es la razón por la cual el calcio de los vegetales (frutas secas, legumbres, semillas, verduras, etcétera) se aproveche muchísimo menos.

Fósforo: no preocupa su carencia porque se encuentra con facilidad en los alimentos de consumo diario. En general es un mineral que participa en los ciclos de producción de energía y en la formación de muchas enzimas. Debe ingresar en cantidades armónicas con el calcio: cuanto más parejos sean estos dos ingresos mejor será la utilización no sólo del calcio sino también del magnesio. Fuente de fósforo son: carnes, quesos, harinas, cereales y frutas secas.

Magnesio: es un mineral que, además de participar al igual que el fósforo en los ciclos de producción de energía, ejerce una acción específica en la actividad neuromuscular. Una alimentación completa y variada pone a resguardo el ingreso de este mineral. Los alimentos que aportan magnesio son: leche y derivados lácteos, harinas, cereales y carnes.

Hierro: es parte importante del glóbulo rojo. Integra la hemoglobina y es el encargado de transportar el oxígeno a todo el cuerpo. El bebé ya nace preparado para afrontar la pobreza de hierro que tendrá su alimentación mientras sea lactante, por eso cuenta con reservas en su hígado, que hizo a expensas de su mamá entre el 5º y 6º mes de embarazo. (¿Usted se acuerda de que tal vez estuvo un poco anémica en ese momento? Bueno, ahora sabe el motivo).

Después de esta primera etapa de lactante será necesario atender su aporte y su mejor biodisponibilidad, porque muchos alimentos de origen vegetal (verduras, cereales y legumbres) poseen importantes cantidades de hierro pero su absorción no es eficiente. Al respecto es útil tener presente que cuando estos alimentos se acompañan con otros que tienen vitamina C, la absorción de ese hierro mejora.

Entre los alimentos de origen animal, el hierro de mejor absorción es el de las carnes rojas, aves y pescados (que proviene de la hemoglobina y por eso se llama hierro HEM); el hierro del huevo, en cambio, no es HEM: se absorbe menos y se beneficia con la ayuda de la vitamina C. El hígado, dado que es el depósito de hierro del organismo humano y también del animal, es un buen aportador de hierro.

Zinc: participa activamente en el crecimiento y en los procesos de defensa contra el daño oxidativo, la principal causa de envejecimiento celular. Si tenemos en cuenta que el envejecimiento comienza en el momento de nacer, deducimos la importancia de este mineral durante toda la vida. Cuando en la alimentación se incluyen carnes variadas (incluidos pescados y mariscos), lácteos, huevos y cereales integrales, los aportes de zinc están asegurados.

las vitaminas

Resultan esenciales para las funciones vitales y son sus reguladores naturales. Hay algunas que son solubles en agua, como todas las del complejo B y la vitamina C. No se acumulan en el organismo y las cantidades no utilizadas se eliminan por la orina. Se llaman hidrosolubles.

Otras vitaminas necesitan la presencia de grasas para ser vehiculizadas y se llaman por eso liposolubles. A este grupo pertenecen las vitaminas A, D, E y K. Ingeridas en exceso hacen depósitos en el organismo y pueden producir intoxicación.

Cada vitamina cumple funciones específicas, por ello es fundamental saber que la ingesta de todas se cubre con una oferta variada y completa de alimentos naturales, sin necesidad de tener que recurrir a suplementos.

También se debe considerar que muchas veces algunos productos alimenticios son enriquecidos con vitaminas, con lo que se aumenta la oferta.

Veremos muy esquemáticamente cuáles son sus principales acciones y con qué alimentos ingresan al organismo.

¿Sabía que...?
... La vitamina C se oxida con mucha facilidad en presencia del oxígeno y del calor.

¿Qué hacer?
Recordar que la cáscara de los frutos y la cubierta externa de los vegetales actúan como protección, por lo tanto una vez eliminadas se acelera el deterioro de esos alimentos. La fruta pelada y cortada hay que comerla de inmediato y los jugos exprimirlos en el momento que se vayan a beber.

Vitaminas hidrosolubles

B1-tiamina: posibilita la obtención de energía a partir de los glúcidos (hidratos de carbono) y el buen funcionamiento del sistema nervioso y cardiovascular. Sus fuentes son los cereales integrales y los productos que se elaboran con ellos (panes y pastas), legumbres, carnes (especialmente la de cerdo) y las frutas secas.

B2-riboflavina: constituye un eslabón básico para la respiración celular y la salud de las mucosas (de la boca, esófago, lengua, etcétera). Sus fuentes son los lácteos, huevos (clara), frutas secas, cereales enteros y legumbres.

B3-niacina: su función es la de permitir al organismo la utilización completa de hidratos de carbono, aminoácidos y grasas; por eso su necesidad es alta durante las etapas de crecimiento. Esta vitamina está muy presente en todos los alimentos que contienen proteínas: carnes de todo tipo, quesos, legumbres y cereales integrales.

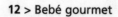

B5-ácido pantoténico: también coopera en el aprovechamiento completo de nutrientes. Su presencia está muy difundida en todos los alimentos de origen animal y vegetal; por esa razón su déficit por falta de ingesta prácticamente no se produce. La aportan las carnes, cereales, huevos y legumbres.

B6-piridoxina: participa en la formación de enzimas que posibilitan el aprovechamiento integral de los aminoácidos. Es muy raro que no se ingiera en cantidades suficientes ya que es aportada por muchos alimentos: carnes (de todo tipo), leche, legumbres, cereales integrales (también panes y pastas integrales) y frutas secas.

B9-ácido fólico: es imprescindible para el desarrollo del sistema nervioso del bebé (durante el embarazo) y para el crecimiento corporal del niño. Sus fuentes son los vegetales de hoja verde, frutas frescas, frutas secas y legumbres.

B12-cianocobalamida: interviene en la maduración de los glóbulos rojos y en la síntesis de algunos aminoácidos no esenciales. Es importante reconocer que su presencia natural se da sólo en el reino animal (carnes, huevos y lácteos). ¡Atención vegetarianos! Están expuestos a sufrir la carencia de esta vitamina si no incluyen lácteos y huevos en su alimentación.

Vitamina C-ácido ascórbico: sus funciones son múltiples. Favorece la absorción del hierro no HEM, es un potente antioxidante que defiende del daño oxidativo, manteniendo la salud e integridad de todos los tejidos y participa de la producción de colágeno, tejido de sostén para el organismo. No la podemos producir ni se almacena; por ello debemos cubrir sus necesidades a diario. Buenas fuentes son los cítricos, kiwis, frutillas, papaya, ajíes, repollos, brócolis y coles en general, vegetales de color verde oscuro, papas y tomates. Se debe proteger a esta vitamina de la acción del oxígeno ya que se destruye con facilidad.

Vitaminas liposolubles

Vitamina A-retinol: interviene en el crecimiento y regeneración de la piel y mucosas; por estó su acción defensiva es destacada. También es la que permite la adaptación de la visión a la falta de luz. Se la puede ingerir directamente como vitamina A activa (retinol) en alimentos como el hígado, los pescados grasos, la yema de huevo, todos los lácteos enteros (y los descremados, ya que se les restituye lo que pierden durante el proceso del retiro de la grasa), la manteca y la crema. Además, se la ingiere en forma de provitamina, en alimentos de origen vegetal que contienen betacarotenos y en el organismo éstos se transforman en vitamina A activa. Estas fuentes vegetales son los alimentos de color amarillo-naranja: zanahorias, calabazas, batatas, ajíes amarillos, damascos, duraznos. Asimismo, la proveen los vegetales de color verde intenso como las hojas de espinaca, brócoli y acelga.

Vitamina E-tocoferol: es otro poderoso antioxidante y por lo tanto protege las membranas de todas las células. Sus fuentes más importantes son los aceites, las frutas secas y la yema de huevo.

Vitamina D: fundamental para el crecimiento, contribuye a la buena estructura y solidez de los huesos, como así también al tono muscular. En nuestro tejido subcutáneo se encuentra en la forma de provitamina, la que se activa en presencia de la luz solar (hecho que nos protege contra las carencias). Además se la ingiere como vitamina D activa en los productos lácteos, porque naturalmente la poseen en sus grasas o se les restituye en el caso de descremarlos.

Vitamina K: su acción es muy específica en el proceso normal de coagulación de la sangre. Las bacterias que viven en nuestro intestino pueden sintetizarla en cantidades suficientes, por ello no se habla de carencias. Sin embargo, el único momento de la vida en que esto no ocurre es en el recién nacido porque aún no tiene bacterias en su intestino (las mismas se irán instalando a partir de la alimentación al pecho o con las fórmulas lácteas que el médico indique). Ésta es la razón por la cual a los recién nacidos se les administra vitamina K.

conviene tener presente: *el exceso de industrialización y de cocción, disminuye la cantidad y la calidad de las vitaminas que poseen los alimentos. ¡Sea prudente en su manejo y evite pérdidas innecesarias!*

las fibras

Se las identifica con el reino vegetal, donde están siempre presentes. Constituyen la parte de los vegetales que no podemos digerir, por no poseer enzimas capaces de hacerlo. Sin embargo su presencia es indispensable para que la actividad intestinal sea normal y también para que la flora que habita el colon sea saludable. Además, algunos tipos de fibras, al envolver nutrientes, lentifican los procesos digestivos y contribuyen a dar saciedad. Esta acción es muy valorada a la hora de prevenir enfermedades crónicas como la obesidad.

Es muy importante educar al niño en el consumo progresivo de fibras, para que a partir de los tres años pueda realmente hacer la ingesta que necesita y sobre todo porque en su futuro esto contribuirá a una mejor calidad de vida.

los nutrientes saludables última generación

La nutrición moderna destaca la participación que tienen muchas sustancias –presentes en los alimentos vegetales– en la prevención de enfermedades crónicas. Estas sustancias son "casi nutrientes" y se los llama "fitonutrientes" o "fitoquímicos" (el prefijo "fito" indica su origen estrictamente vegetal) y el rol que desempeñan en las plantas es justamente el de protección, beneficio que parecen cumplir en nuestro organismo de manera similar.

Muchos de ellos tienen que ver con los pigmentos brillantes que dan color a vegetales y frutas. Los rojos, naranjas y amarillos dependen de los carotenos naturales. De éstos sólo algunos se transformarán en vitamina A; el resto cumplirá funciones antioxidantes y la de aumentar nuestra actividad inmunitaria. El lycopeno del tomate o la luteína del maíz son algunos de ellos. Existe gran cantidad de carotenos en los vegetales verdes, sólo que predomina la clorofila como pigmento. Los violetas y los rojo-azulados de uvas, berenjenas, ciruelas y berries tienen que ver con los fenoles y su acción es la de ser antioxidantes, estimulantes de la actividad inmunitaria y antiinflamatorios.

Desde tiempos muy antiguos se mencionan las propiedades defensivas antibacterianas de la familia de las cebollas y los ajos. La acción se da por la alicina, sustancia responsable del clásico olor fuerte e irritante que se desprende de estos alimentos al picarlos (por interacción con el oxígeno). La sustancia ejerce acciones de protección sobre el sistema cardiovascular y aumenta la inmunidad. Los limonoides de los cítricos desarrollan una tarea defensiva específica sobre los tejidos pulmonares, y los fitosteroles, presentes en semillas y legumbres, contribuyen a mantener los niveles de colesterol.

*Los mencionados **fitonutrientes** son sólo algunos. Día a día se publica más acerca de sus beneficios y ésta es una de las razones para que los colores de la naturaleza estén a diario en la mesa. ¡No deje de incluirlos!*

comer saludablemente puede ser una aventura divertida

A esta altura de la lectura, usted ya está en condiciones de admitir la importancia de educar progresivamente a su hijo en la inclusión de todos los alimentos que nos ofrece la madre naturaleza.

Seguramente nunca imaginó que es posible que usted pueda ir probando alimentos junto a su hijo ¿Por qué no intentar la aventura juntos?

Siga siempre el mismo camino.

> *Un alimento por vez y en muy pequeña proporción.*

> *Cocido y procesado primero. Luego seguirán, apareciendo con más presencia su sabor y textura.*

> *Y no se desanime si la respuesta es el rechazo. Quizás la combinación no fue afortunada. Siga intentando.*

Recuerde que durante toda la vida la comida es considerada fuente de placer y gratificación. En general se tiende a comer los alimentos y comidas que son de nuestro agrado y hay una resistencia a incluir no sólo lo que NO nos gusta (cosa que sabremos luego de haberlo probado) sino también todo lo que visual u olfativamente nos resulte poco atractivo, aún sin probarlo y aunque los manuales de nutrición lo recomienden como alimento inobjetable.

recuerde: *ofrecer al niño, en los primeros años de vida y cuando está virgen de todo preconcepto, la posibilidad de degustar una variedad completa de alimentos, con sus sabores, olores, colores y texturas, es una tarea educativa tan importante como la enseñanza de la lectoescritura. Será la llave que le abra el camino a la salud.*

los colores la ayudan…

Ya al hablar de nutrientes hemos mencionado la importancia que tienen para la salud aquellos que aumentan la inmunidad, ejercen funciones antioxidantes o favorecen el buen funcionamiento de órganos y sistemas. Ellos no sólo son fundamentales en esta etapa de la vida: son importantes siempre. **Comer un arco iris a lo largo del día es una meta sana.**

> *Logre que los colores no se pierdan, ni se opaquen, eligiendo las formas de cocción más indicadas y acortando los tiempos.*

> *No sume cocciones: una sola aplicación de calor basta para cocinar una verdura.*

Las verduras verdes son ricas en vitaminas antioxidantes (A, C y E) y ayudan a prolongar la vitalidad de los tejidos y a aumentar las defensas.

Los vegetales y frutas rojas también son antioxidantes pero sobre todo contienen lycopeno, un poderoso carotenoide que protege contra el desarrollo de severas enfermedades crónicas (cáncer entre ellas). Nuestro organismo no lo produce y cada vez se insiste más en la necesidad de incluirlo en la alimentación cotidiana.

Las frutas y vegetales naranjas y amarillos son ricos en betacarotenos, que derivarán en vitamina A. Algunos de ellos, como los cítricos, proveen vitamina C, un poderoso antioxidante. La presencia de estos colores colabora en la buena estructura de las barreras defensivas (piel y mucosas).

Los violáceos y púrpuras, además de antioxidantes, ofrecen flavonoides y polifenoles que ayudan a proteger el buen estado del corazón.

la pirámide nutricional la orienta

Para llevar tranquilidad a las lectoras, que ya estarán pensando que las vamos a abrumar con cantidades y cálculos, es importante presentarles un dibujo que representa los contenidos de una alimentación saludable: la **pirámide nutricional.** Saber interpretar lo que muestra y aplicarlo en la planificación de los menús familiares debe ser una práctica ineludible.

> *Existen 5 grupos de alimentos que se llaman **básicos** porque **entre todos aportan los nutrientes que el organismo necesita para vivir saludablemente.***

> *Se puede elegir entre los alimentos que integran cada grupo, ya que comparten una composición semejante, tratando de darle en uno u otro momento participación a todos. Lo que NO debemos hacer es reemplazar alimentos de un grupo por otros de otro grupo, ya que se distorsiona la oferta de nutrientes.*

Estos grupos son:
> *Almidones: dadores de energía, glúcidos (hidratos de carbono), fibras, vitaminas del complejo B y proteínas incompletas. Integran este grupo cereales y sus harinas, panificados, pastas, legumbres y vegetales feculentos (papa, batata, choclo).*

> *Verduras y frutas: dadoras de minerales, vitaminas, fibras y agua. Incluye todo tipo de verduras y frutas frescas, congeladas al natural, enlatadas al natural y deshidratadas.*

> *Carnes, huevos y quesos compactos: dadores de proteínas de alta calidad, grasas, minerales (hierro en las carnes y huevos; calcio en los quesos), vitaminas (en carnes rojas, de aves, de pescados, mariscos, huevos, quesos compactos enteros o magros).*

> *Lácteos: dadores de pequeñas cantidades de azúcar, buenas proteínas, grasas, minerales (sobre todo calcio) y vitaminas. Integran este grupo leches y yogures, enteros y descremados y quesos blancos untables.*

> *Sustancias grasas: dadoras de energía, de ácidos grasos esenciales y vitamina E. Son los aceites, paltas, frutas secas, semillas, mayonesas, manteca, crema y quesos crema.*

Seguramente usted está pensando: "¿Y todos los que no han sido nombrados? ¿No son acaso alimentos?". Es evidente que SÍ, pero están afuera de esta pirámide porque no aportan nutrientes básicos o porque aportan prioritariamente nutrientes no necesarios que pueden ser otorgados –y mucho mejor– por los alimentos que están dentro de la pirámide.

Estos alimentos integran un grupo que se considera "grupo accesorio" porque se manejará según necesidad.

> *Azúcares, dulces, gaseosas y caramelos: aportan glúcidos (hidratos de carbono) simples y sólo calorías.*

> *Productos de copetín: aportan excesivas grasas no saludables y demasiado sodio.*

> *Fiambres y embutidos: aportan grasas no saludables, colesterol, sodio, aditivos y conservantes.*

> *Bebidas alcohólicas: aportan calorías vacías y constituyen un tóxico para el hígado.*

> *Galletitas, alfajores y golosinas: aportan una excesiva cantidad de grasas no saludables, provenientes de aceites vegetales hidrogenados, azúcares y harinas refinadas. ¡Muchas calorías y pocos buenos nutrientes!*

La mayoría de estos productos son altamente preferidos y buscados por los niños, en desmedro de comer alimentos más saludables. Es necesario espaciar y controlar su consumo.

¡el gran desafío!: *lograr que en las comidas de su familia tengan presencia estos 5 grupos de alimentos que contribuyen a una mejor salud. En esta tarea esperamos ayudarla con algunas de las recetas que incluimos en este libro.*

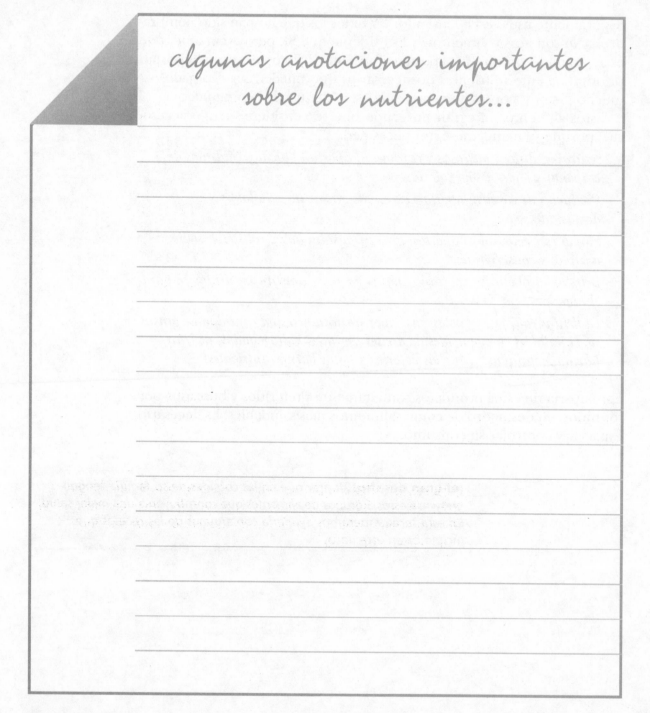

algunas anotaciones importantes
sobre los nutrientes...

el bebé ha llegado

0a6 meses

La llegada del bebé materializa la formación de la familia y también las preocupaciones por todo lo que hace referencia a su futuro crecimiento y desarrollo. El tema de la alimentación ocupará, de ahora en más, una gran parte del tiempo de la reciente mamá.

Desde el nacimiento la naturaleza tiene dispuesto que el bebé podrá ser alimentado con la leche materna en forma completa hasta los 6 meses.

Casi escuchamos su pregunta... "¿Es esto moderno?". Hoy, organizaciones mundiales de salud, como OMS y UNICEF, además de las sociedades de Pediatría de muchas naciones, abogan por ello, en pos de que no sólo es una alimentación completa, segura y económica sino que además podría ser el punto de partida para que en la vida adulta se pudiera controlar mejor el tema del peso corporal y de la ingesta de alimentos, así como el reconocimiento de la saciedad. Lo único extra que se le puede ofrecer al lactante es agua segura.

la leche materna

La leche materna es el alimento ideal porque contiene los nutrientes adecuados...

... a una función renal e intestinal aún inmaduras en el bebé. De esta manera las proteínas son especiales y la concentración de azúcar, la que el organismo necesita;

...al desarrollo neuronal de su cerebro, con el Omega 3 que posee;

...al fortalecimiento de su inmunidad.

Dar de mamar es un acto importante para el equilibrio psicofísico de toda madre.

La succión del bebé no sólo le permite acceder a su alimento sino que esta acción, en la madre, sirve de estímulo para la secreción de hormonas, la que incrementará la producción láctea y regulará la desinflamación de la mucosa uterina. Esto ayudará, después del parto, al pronto retorno a su forma y tamaño normal y a recuperar más fácilmente el peso saludable. Además, y a futuro, el amamantamiento de los hijos protege contra enfermedades crónicas premenopáusicas, como el cáncer de mama y de ovario, y contribuye a disminuir el riesgo de desarrollar osteoporosis.

Variaciones en la composición de la leche materna

La secreción de las glándulas mamarias es fundamental desde que el niño nace; por eso se lo debe poner al pecho lo más pronto posible.

Los primeros días tomará calostro, un líquido que ya la mamá ha comenzado a segregar en mínimas cantidades durante los últimos meses de embarazo. El calostro es amarillento, muy rico en factores inmunitarios (inmunoglobulinas), proteínas, minerales y vitaminas.

La leche de los primeros 15-20 días se llama leche de transición, cuenta con un gran aporte de factores inmunitarios y paulatinamente va subiendo el contenido de azúcar (lactosa) y grasas, a fin de hacerla más energética. Las proteínas y los minerales se empiezan a estabilizar en cantidades un poco menores que al principio, pero bueno es saber que no sólo están presentes en la proporción que el lactante necesita sino que además guardan entre sí relaciones de perfecta armonía para beneficio de los procesos de absorción.

Después de este período, la leche aumenta en cantidad hasta el tercer mes y luego se estabiliza en su composición de proteínas y azúcar, mientras que la composición en grasas y en vitaminas va a estar influenciada por la alimentación que elija la madre.

Una alimentación saludable, con abundante consumo de agua, frutas, verduras, cereales integrales, lácteos y carnes magras, con buena cantidad de grasas vegetales (aceites, frutas secas, palta), da por resultado una leche rica en grasas insaturadas (beneficiosas) y con un muy buen tenor de minerales y vitaminas. Por el contrario, cuando en la alimentación prevalecen los azúcares y las harinas refinadas, de poco valor nutricional y las grasas de origen animal, en la leche predominarán las grasas saturadas, menos saludables.

> **lo más importante:** *no está de más reiterar que una alimentación completa y saludable de la madre durante la lactancia es fundamental.*
> *Nada de alcohol, ni de tabaco.*
> *Mínimo de café y bebidas cola.*

bebé gourmet

Además de todo lo fisiológico, la leche materna es la comida naturalmente variada que la naturaleza ha dispuesto para el bebé porque:

> *Varía sutilmente sus sabores de acuerdo a los alimentos que come la madre.*

> *Varía sus texturas durante la mamada. Al comienzo es un poco más liviana (por el agua que hay en los canales mamarios) y al final de la mamada se torna más espesa por ser más rica en grasas.*

¿cuánto toma el niño?

El bebé regula su alimentación y toma lo que necesita, en función del tamaño de su estómago, que es muy pequeño.

Es por esa razón que se le debe ofrecer con frecuencia.

La siguiente guía sirve como orientación.

Primeras semanas .... 7-8 veces
1-2 meses .... 6 veces
Después de los 2 meses .... 5 veces

Los intervalos entre comidas son indispensables para la digestión, la absorción y el descanso.

mamá vuelve al trabajo

> *No se desespere.*

> *Ponga el bebé al pecho cuando usted esté en casa, antes de salir a trabajar y al regresar.*

> *Para el intervalo de tiempo en el que usted no estará, sáquese leche y déjela en biberones estériles ya preparados, para que se los administren al bebé en los horarios de demanda.*

> *Recuerde que la tetina que compre debe ser especial para la edad del bebé, ya que si tiene un orificio demasiado chico o muy grande será contraproducente.*

cuando amamantar no es posible

Si esto ocurre o el pediatra determina que la lactancia, aún siendo cumplida, es insuficiente durante los primeros seis meses de vida... la opción de reemplazo siempre la indicará el médico y serán fórmulas infantiles, fabricadas dando cumplimiento a normas internacionales de entidades científicas reconocidas, como por ejemplo FAO (Organización de las Naciones Unidas para la Agricultura y la Alimentación) y OMS (Organización Mundial de la Salud). Por esa razón las cantidades de calorías y nutrientes que aportan las distintas marcas de productos para una misma edad, son similares. Lo que difiere son los componentes que se utilizan para lograrlo.

En muchas fórmulas la base es la leche de vaca, pero modificada para reducir su contenido en proteínas, fósforo y sodio, aumentar su contenido de zinc y de hierro, adicionarla con vitaminas y cambiar las grasas por mezclas de aceites y otros tipos de grasa de mejor absorción (con ácidos grasos esenciales Omega 6 y Omega 3). Dichas fórmulas resultan más útiles al bebé para su crecimiento y desarrollo, tal como lo sería la leche materna. Otras veces la base es vegetal y son en general fórmulas que cuentan a la soja entre sus componentes. Por lo general, los médicos eligen estas leches para niños que presentan alergia a la caseína o intolerancia a la lactosa. Cuentan con todos los aminoácidos que el niño necesita y refuerzan los aportes de hierro, calcio y zinc, ya que algunos componentes de la soja –como el ácido fítico– interfieren en la absorción. También conviene saber que la proteína de soja puede ser causa de alergia. Por eso **la elección de la fórmula siempre es decisión del médico.**

Debe quedar claro que la leche de vaca o de otro animal y la bebida de soja no son alimentos adecuados para los bebés porque no cuentan con la calidad, cantidad y equilibrio de nutrientes que el pequeño necesita.

Si la fórmula láctea que le indica el médico es en polvo, extreme los cuidados en la preparación. Piense que su cocina es un laboratorio y usted, allí, deberá observar ciertos cuidados hacia su persona como lo haría un profesional de la salud.

> *El lugar que utilice para preparar el biberón estará bien limpio.*
> *Usted: manos lavadas y secadas con papel, cabello recogido, un delantal limpio sobre su ropa.*
> *Los utensilios lavados y secados con papel, biberón y tetinas estériles (hervidas y dejadas secar boca abajo sobre papel o paño limpio).*
> *Agua hervida.*

> *Si prepara todos los biberones al mismo tiempo, colóquelos en la heladera de inmediato. **Recuerde que los sobrantes de biberón no se deben guardar.***

Si la fórmula láctea que le indica su médico es alguna que ya viene fluida, trate de aprovecharla al máximo:

> *Tome las precauciones dadas en el párrafo anterior antes de abrir el envase.*

> *Vuelque en los biberones sólo la cantidad estimada que su niño tomará.*

> *Conserve los biberones así preparados en la heladera hasta el momento de entibiarlos a baño de María o en microondas.*

la leche de vaca

Recién después de los 6 meses se comienza a incluir la leche de vaca entera en preparaciones como purés, salsa blanca y postrecitos lácteos.
Al pasar el 1er año de vida, el pequeño puede empezar a tomarla fluida, formando parte de un desayuno o merienda.
A partir del 2do año, se debe recomendar su consumo en no menos de 3 a 4 vasos por día, ya que es el más económico aporte de calcio.
Hasta el 3er año de vida los productos lácteos se eligen enteros, excepto que el médico indique lo contrario.

qué tipo de agua le damos al bebé

> *Recuerde que si toma pecho, en líneas generales no necesitará nada más.*

> *Si por algún motivo le ofrece agua, deberá ser siempre agua segura, es decir agua de red, hervida, aireada con un batidor o tenedor que esté perfectamente limpio, lavado y secado con papel descartable y mejor si está pasado por agua hirviendo.*

> *Es importante, en este caso, que se la ofrezca con gotero o por cucharaditas, después de la mamada. No utilice un biberón con este fin porque modifica el mecanismo de la succión en el niño y produce confusión en las respuestas bucales que experimenta el bebé.*

> *¿Y el agua mineral?... Al respecto conviene consultar con el médico, ya que en algunas aguas minerales la cantidad de sales (sodio, potasio, cloro, magnesio) pueden resultar excesivas para la capacidad de trabajo del riñón aún inmaduro.*

> *El sodio es un mineral que en la pediatría moderna se controla mucho, no sólo desde el tipo de agua que se ofrece sino desde la cantidad que integra las fórmulas lácteas.*

> *También, coincidente con este criterio, en nuestras recomendaciones de primeras papillas y purés usted podrá ver que no se agrega sal.*

> *La OMS aconseja moderación en el consumo de sodio, en previsión de que los excesos podrían ser un predisponente a la hipertensión.*

> *Tampoco son adecuadas las bebidas carbonatadas, ni los jugos envasados que además de tener alta proporción de azúcar, poseen colorantes que pueden ser tóxicos para el bebé (la tartrazina por ejemplo).*

> *Evite totalmente las bebidas cola porque contienen cafeína, un estimulante demasiado intenso para el bebé. Además su contenido en fósforo es inadecuado para los requerimientos de los pequeños.*

los extras de la primera etapa

> *El niño que está alimentado a pecho por lo general no necesita ningún otro alimento hasta el 6º mes de vida.*

> *Sin embargo, desde el 4º mes ya está en condiciones de efectuar otro movimiento en su boca, además de la succión: puede empujar una pequeña cantidad de una preparación un poquito más espesa.*

> *Es probable que a esta altura de la vida de su bebé el pediatra le haya indicado alguna cucharadita de jugo de frutas. Tenga en cuenta que los cítricos y las frutillas pueden producir reacciones alérgicas en bebés predispuestos. Por esa razón hemos puesto a los cítricos entre los alimentos a evitar.*

¿Sabía que...?

...Es decisión suya, con la asesoría del pediatra, si utilizará o no chupete para tranquilizar a su bebé. Lo que nunca debe hacer es untar ese chupete con azúcar, miel, jaleas o cualquier otro concentrado de azúcares.

¿Por qué?

Porque estará favoreciendo un medio adecuado para desarrollar una flora agresiva para las encías, que luego perturbará la dentición que todavía no apareció y dañará los dientes aún antes de asomar.

el llanto del bebé

• *El llanto es la forma de expresión y de comunicación que tiene el bebé. A veces llora por hambre, pero no siempre es así, ya que el llanto también expresa deseos de contacto, de mimos, de compañía, de amor.*

• *Si usted aprende a reconocer su llanto, dará al niño lo que necesita y estará educando (aún sin saberlo) a un futuro adulto que sabrá reconocer sus necesidades, que no "tapará" su ansiedad, su frustración, su tristeza o su angustia… con comida, sino que reconocerá estos estados a fin de buscar la solución adecuada.*

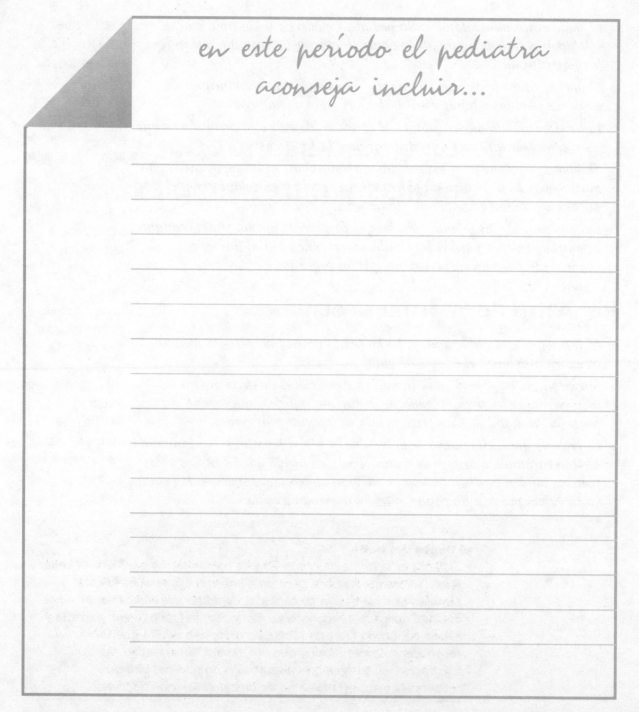

en este período el pediatra
aconseja incluir...

el médico ya deja introducir papillas y purés simples

6 a 7 meses

Cuando el bebé llega al 5º ó 6º mes de vida, está en condiciones fisiológicas de dejar de ser lactante estricto porque su organismo puede digerir alimentos que tienen otra composición y su paladar tolera nuevas texturas. Comienza así una etapa de aprendizaje tanto para el bebé como para la mamá.

¿qué es una papilla?

Es una preparación culinaria, la primera que degustará su bebé.
Se trata de un líquido (la misma leche que toma el niño: materna o de fórmula, o caldo o agua), hervido para asegurar su esterilidad y espesado con un almidón (derivado de un cereal).

> *Puede ser un almidón que no necesite cocción (siempre son productos especiales para bebés).*

> *Puede ser un almidón que necesite cocción, como el almidón de maíz o la fécula de papa o de mandioca.*

> *Puede ser también un cereal para bebé finamente subdividido y fortificado con minerales y vitaminas (se trata de alimentos especiales).*

La primera papilla

> *Recuerde que la preparará en base a la leche materna o a la fórmula que el médico le haya indicado.*

> *Los almidones de elección son fécula de maíz o de arroz o de mandioca (es la tapioca).*

> *Después que pruebe con ellos podrá pasar a la harina de maíz de cocción rápida, a la harina de arroz o a la harina de mandioca. Luego a la avena y finalmente al trigo.*

> *Durante los primeros meses de alimentación mixta conviene elegir cereales que no tengan gluten.*

¿por qué alimentos sin gluten?

El gluten es una proteína formada por dos aminoácidos: gliadina y glutenina. Tiene una estructura muy compleja, de difícil digestión y puede ocurrir que el intestino inmaduro del niño no sea capaz de digerirla. Si eso sucede y se absorbe, es probable que actúe como una proteína extraña y cause alergia.

Con la incorporación de los diferentes cereales se busca aumentar el aporte energético, pero asegurando fácil digestión y ausencia de reacciones alérgicas.

¿Cuáles son los cereales que no tienen gluten?

El maíz y el arroz son los más indicados para la alimentación del bebé.

Para comenzar conviene utilizar sólo almidón, por lo tanto los primeros a elegir son:

> *Fécula de maíz*

> *Fécula de arroz*

> *Fécula de mandioca*

Después se continúa con harinas, que ya son alimentos que contienen almidón y proteínas. Entre ellas se puede optar por:

> *Harina de maíz superfina (incluida la de cocción rápida)*

> *Harina de arroz*

> *Harina de mandioca*

La sémola y la semolina son derivados del trigo, por eso se agregan recién en tercer lugar.

La avena también se incorpora después, siendo la superfina o instantánea la primera que se utilizará (tiene menos gluten que el trigo).

recuerde: *los almidones necesitan cocción por hervido, excepto que el envase indique que están listos para consumir sin cocción.*

¿qué es un puré?

Es sencillamente un vegetal cocido y procesado, solo o con un poco del líquido de cocción. Los utensilios que se necesitan para hacer un puré son simples: una cacerola pequeña, un colador, una canastita para cocinar al vapor y en lo posible una licuadora o una procesadora.

Al principio, la textura del puré será bastante chirle, similar a la de un yogur. Se prepara solamente con la leche que toma el bebé o con el agua de cocción de la verdura como agregado. Para hacerlo se puede utilizar la licuadora.

A medida que el bebé aprenda a tragar el alimento sin escupirlo y que comiencen a crecerle los dientes, se puede espesar el puré disminuyendo la cantidad de agua de la cocción de los vegetales o leche. Para estas preparaciones la procesadora es de gran ayuda.

Luego de transcurrido un mes en que el bebé esté ingiriendo purés, se puede empezar a agregarles aceite u otros ingredientes, por supuesto siempre indicados por el pediatra.

No es ninguna novedad que los primeros vegetales que usted elija serán las calabazas y zanahorias, la batata y la papa, tal como lo hacen con seguridad todas sus amigas, pero… ¡por favor! no se quede en ellos. Varíe y no les tenga miedo a otras propuestas.

un consejo: *trate de introducir la espinaca después del 6º mes, al igual que la remolacha. Puede ocurrir que el nivel de nitratos que poseen (según la tierra de la cual provengan), no convenga al bebé en los primeros 5 meses.*
Para ganar confianza, siga las listas de selección de verduras que le damos para los distintos meses y no tema probar.

Ideas prácticas

Cómo guardar el puré

> *Puede hacerlo en recipientes individuales con tapa. Un puré dura 2 días en la heladera y hasta 3 meses en el freezer.*

> *Otra manera es guardar el puré en cubeteras con divisiones. Una vez congelado, se vaciará el contenido en bolsas para freezer. Esto permitirá utilizar sólo la porción que el bebé vaya a comer. A medida que va aumentando el tamaño de las porciones, se pueden descongelar 2 ó 3 cubitos por vez.*

¿cuánto come el niño?

Es difícil determinar la cantidad, cuando lo que va a aceptar y tolerar son sólo cucharaditas. Lo importante para no malgastar tiempo y dinero es:

> *Preparar una pequeña porción de alimento.*

> *Separar 1 ó 2 cucharaditas para ofrecer al bebé.*

> *Reservar el resto en la heladera o en el freezer.*

> *Recuerde que los sobrantes de un alimento servido deben desecharse.*

> *Piense que la boca del bebé es muy sensible al frío o al calor, por lo tanto la temperatura de la preparación tiene que ser agradablemente tibia.*

> *Recuerde que está acostumbrado a la leche materna y que nuestra temperatura corporal es de 36 ºC, por lo tanto ésa es la temperatura que espera.*

> *La temperatura de cocción de las verduras será 100 ºC pero deberá enfriarse hasta el punto que sea óptimo para su bebé.*

cómo cocinar las primeras verduras

Por hervido: tanto para verduras como para frutas, utilizando un mínimo de agua y no sobrecocinando.

En microondas: en recipientes adecuados, con una pequeña cantidad de agua, cubiertos con las tapas especiales que dejan escapar el vapor, a potencia máxima y el tiempo justo para cocinar tiernizando.

Al vapor: ésta es la mejor forma de cocción para preservar a los vegetales y a las frutas de las pérdidas de vitaminas y minerales, por sobrecalentamiento o por disolución (las vitaminas del grupo B y C se pierden por este motivo). Es también la que mantiene mejor los sabores y colores.

atención: *conviene tener la precaución de no agregar cereales u otros alimentos sólidos al biberón del bebé porque puede atragantarse o atorarse.*

alimentos a partir de los 6 meses

ALMIDONES

> *Papilla de maíz o de arroz para bebés (no necesitan cocción).*

> *Almidón de maíz. También se llama fécula de maíz (necesita cocción).*

> *Polenta, avena. Conviene elegir los productos de cocción rápida o la avena ultrafina (necesitan cocción).*

> *Batatas (elegir variedades tiernas, que no sean fibrosas).*

VERDURAS

> *Calabazas, zanahorias (buscar que estas verduras no tengan centros demasiado fibrosos; si existieran, retirarlos).*

> *Chauchas, nabos.*

> *Espinacas.*

FRUTAS

> *Banana, manzana, pera (siempre bien maduras).*

LÁCTEOS

> *Sigue tomando leche materna o de fórmula.*

EVITAR LOS SIGUIENTES ALIMENTOS

> *Leche de vaca.*

> *Lácteos (yogur y quesos).*

> *Huevos.*

> *Trigo y sus derivados (tenga presente que la sémola es un derivado del trigo).*

> *Miel.*

> *Pescados y mariscos.*

> *Nueces.*

> *Cítricos.*

> *Frutas con semillas pequeñas (frutillas, frambuesas y bayas en general).*

> *Sal y azúcar agregados a los alimentos.*

> *Alimentos picantes y condimentos.*

> *Alimentos ahumados.*

incorporando sólidos

Cuando las papillas y purés hacen su irrupción en el mundo del bebé, un nuevo panorama se abre para él: el de los sólidos.
¡A no desesperar mamá!

> *Al principio conviene introducir alimentos sólidos en una sola de las comidas del día hasta que el bebé se acostumbre.*

> *Elegir el horario que sea menos complicado para usted y uno en que el bebé no esté demasiado hambriento o cansado.*

> *Colocar una pequeña cantidad de alimento en la punta de una cuchara de plástico y dárselo al bebé en la boca. Se recomienda evitar las cucharas de metal porque pueden tener una temperatura que no agrade al bebé.*

> *No se sorprenda si la primera reacción es escupir la comida. El instinto natural del bebé es realizar los mismos movimientos que al tomar el pecho, ocasionando que la lengua empuje el alimento hacia afuera.*

> *Comenzar con una pequeña cantidad y de consistencia bien líquida. Recordemos que el pequeñito está acostumbrado a tomar sólo leche. Con frecuencia, en la primera vez, es suficiente una cucharadita de té.*

> *Al principio seguiremos dando el pecho o el biberón al bebé luego de ofrecerle la papilla, hasta que la cantidad de la misma pueda reemplazar la toma de leche.*

> *De a poco iremos espesando la papilla y aumentando las cantidades a medida que el bebé se acostumbra a comer con cuchara.*

> *Una vez que el bebé come la cantidad adecuada para su edad se podrá agregar la segunda comida. Por lo general, entre una cosa y otra transcurren entre 1 y 2 meses.*

A continuación le damos una guía para orientarla semana a semana.

1ª semana de papillas y purés

Los objetivos que se persiguen en esta semana son:
> *Ir educando al bebé en aceptar alimentos de más consistencia.*
> *Iniciar al aparato digestivo en la digestión del almidón.*

¿sabía que...?
...No es necesario incorporar condimentos a los alimentos de los bebés.

¿por qué?
La sal o el azúcar agregados no son alimentos necesarios para la nutrición del bebé. Además, evitan que el pequeño conozca el verdadero sabor de los alimentos.

Por estas razones se le dará a probar una sola preparación, que irá variando su consistencia. Por lo general es de sabor dulce, porque está preparada en base a la leche que toma el niño, ya sea leche materna o de fórmula.

	Desayuno	Media mañana	Almuerzo	Media tarde	Cena
Día 1	Pecho o fórmula	Pecho o fórmula	Papilla de maíz líquida: 50 cc de leche (¼ taza) + 5 g de cereal (1 cda. sopera al ras) Pecho o fórmula	Pecho o fórmula	Pecho o fórmula
Día 2	Pecho o fórmula	Pecho o fórmula	Papilla de maíz chirle: 50 cc de leche (¼ taza) + 7,5 g de cereal (1½ cdas. soperas al ras) Pecho o fórmula	Pecho o fórmula	Pecho o fórmula
Día 3	Pecho o fórmula	Pecho o fórmula	Papilla de maíz espesa: 50 cc de leche (¼ taza) + 10 g de cereal (2 cdas. soperas al ras) Pecho o fórmula	Pecho o fórmula	Pecho o fórmula
Día 4	Pecho o fórmula	Pecho o fórmula	Papilla de maíz, más cantidad: 70 cc de leche (⅓ taza) + 15 g de cereal (3 cdas. soperas al ras) Pecho o fórmula	Pecho o fórmula	Pecho o fórmula
Día 5	Pecho o fórmula	Pecho o fórmula	Papilla de maíz, más cantidad: 100 cc leche (½ taza) + 20 g cereal (4 cdas. soperas al ras) Pecho o fórmula	Pecho o fórmula	Pecho o fórmula
Día 6	Pecho o fórmula	Pecho o fórmula	Puré de calabaza: 50 g (¼ taza) Pecho o fórmula	Pecho o fórmula	Pecho o fórmula
Día 7	Pecho o fórmula	Pecho o fórmula	Puré de calabaza: 70 g (⅓ taza) Pecho o fórmula	Pecho o fórmula	Pecho o fórmula

2ª semana

Los objetivos de esta semana son:

> *Progresar en la educación nutricional del bebé, incluyendo otros sabores (no tan dulces) y otras texturas, cada vez más consistentes.*

> *También educar en combinar distintos sabores en una misma comida.*

> *Avanzar en la oferta de nutrientes, ya que se está introduciendo otro tipo de proteínas (la de cereales como el arroz) y pequeñas cantidades de fibras, muy cocidas y procesadas (de los cereales, frutas y verduras).*

> *Avanzar también en los volúmenes que se ofrecen.*

	Desayuno	Media mañana	Almuerzo	Media tarde	Cena
Día 8	Pecho o fórmula	Pecho o fórmula	Puré de calabaza: 100 g (1/2 taza) Pecho o fórmula	Pecho o fórmula	Pecho o fórmula
Día 9	Pecho o fórmula	Pecho o fórmula	Puré de chauchas: 50 g (1/4 taza) Pecho o fórmula	Pecho o fórmula	Pecho o fórmula
Día 10	Pecho o fórmula	Pecho o fórmula	Puré de chauchas: 70 g (1/3 taza) Pecho o fórmula	Pecho o fórmula	Pecho o fórmula
Día 11	Pecho o fórmula	Pecho o fórmula	Puré de chauchas: 70 g (1/3 taza) + Papilla de maíz: 50 cc de leche (1/4 taza) + 10 g de cereal (2 cdas. soperas al ras)	Pecho o fórmula	Pecho o fórmula
Día 12	Pecho o fórmula	Pecho o fórmula	Puré de calabaza: 50 g (1/4 taza) + Papilla de maíz: 50 cc de leche (1/4 taza) + 10 g de cereal (2 cdas. soperas al ras) + Banana madura pisada: 30 g (1/3 de unidad)	Pecho o fórmula	Pecho o fórmula
Día 13	Pecho o fórmula	Pecho o fórmula	Puré de chauchas: 50 g (1/4 taza) + Papilla de maíz: 50 cc de leche (1/4 taza) + 10 g de cereal (2 cdas. soperas al ras) + Banana madura pisada: 50 g (1/2 unidad)	Pecho o fórmula	Pecho o fórmula
Día 14	Pecho o fórmula	Pecho o fórmula	Papilla de arroz: 50 cc de leche (1/2 taza) + 10 g de cereal (2 cdas. soperas al ras) + Banana madura pisada: 100 g (1 unidad chica)	Pecho o fórmula	Pecho o fórmula

3ª y 4ª semanas

Los objetivos que se persiguen en estas semanas son:

> *Progresar en la oferta de colores, sabores y texturas (por eso ya se combinan tres diversos sabores y texturas en una misma comida).*

> *Avanzar en el consumo de diversos nutrientes. La incorporación de avena significa buenos y grandes avances para el aparato digestivo: el almidón dentro de estructuras diferentes, la presencia de nuevas proteínas a digerir (ya que cada cereal cuenta con un tipo propio de proteínas), y también la inclusión de ácidos grasos insaturados (dado que la avena es un cereal con buen contenido graso).*

> *Avanzar también en la oferta de fibras (surge de la combinación de cereales, frutas y verduras).*
> *Incrementar las cantidades a ofrecer.*

	Desayuno	Media mañana	Almuerzo	Media tarde	Cena
Día 15	Pecho o fórmula	Pecho o fórmula	Papilla de arroz: 50 cc de leche (1/2 taza) + 10 g de cereal (2 cdas. soperas al ras) + Puré de calabaza: 50 g (1/4 taza) + Banana madura pisada: 50 g (1/2 unidad)	Pecho o fórmula	Pecho o fórmula
Día 16	Pecho o fórmula	Pecho o fórmula	Papilla de arroz: 50 cc de leche (1/2 taza) + 10 g de cereal (2 cdas. soperas al ras) + Puré de chauchas: 50 g (1/4 taza) + Compota de manzanas: 50 g (1/3 unidad)	Pecho o fórmula	Pecho o fórmula
Día 17	Pecho o fórmula	Pecho o fórmula	Papilla de maíz: 70 cc de leche (1/3 taza) + 15 g de cereal (3 cdas. soperas al ras) + Compota de manzanas: 75 g (1/2 unidad)	Pecho o fórmula	Pecho o fórmula
Día 18	Pecho o fórmula	Pecho o fórmula	Papilla de arroz: 50 cc de leche (1/2 taza) + 10 g de cereal (2 cdas. soperas al ras) + Puré de zanahorias: 50 g (1/4 taza) + Compota de manzanas: 50 g (1/3 unidad)	Pecho o fórmula	Pecho o fórmula
Día 19	Pecho o fórmula	Pecho o fórmula	Puré de zanahorias: 70 g (1/3 taza) + Banana pisada: 100 g (1 unidad chica)	Pecho o fórmula	Pecho o fórmula
Día 20	Pecho o fórmula	Pecho o fórmula	Papilla de avena: 50 cc de leche (1/2 taza) + 10 g de cereal (2 cdas. soperas al ras) + Puré de zanahorias: 50 g (1/4 taza) + Compota de manzanas: 50 g (1/3 unidad)	Pecho o fórmula	Pecho o fórmula
Día 21	Pecho o fórmula	Pecho o fórmula	Papilla de avena: 50 cc de leche (1/2 taza) + 10 g de cereal (2 cdas. soperas al ras) + Puré de espinacas: 50 g (1/4 taza) + Banana madura pisada: 50 g (1/2 unidad chica)	Pecho o fórmula	Pecho o fórmula
Día 22	Pecho o fórmula	Pecho o fórmula	Papilla de maíz: 50 cc de leche (1/2 taza) + 10 g de cereal (2 cdas. soperas al ras) + Puré de espinacas: 50 g (1/4 taza) + Manzana rallada: 50 g (1/3 unidad)	Pecho o fórmula	Pecho o fórmula

	Desayuno	Media mañana	Almuerzo	Media tarde	Cena
Día 23	Pecho o fórmula	Pecho o fórmula	Puré de calabaza y zanahorias: 100 g (1/2 taza) + Manzana rallada: 75 g (1/2 unidad)	Pecho o fórmula	Pecho o fórmula
Día 24	Pecho o fórmula	Pecho o fórmula	Papilla de arroz: 50 cc de leche (1/4 taza) + 10 g de cereal (2 cdas. soperas al ras) + Puré de espinacas: 50 g (1/4 taza) + Pera madura en puré: 50 g (1/3 unidad)	Pecho o fórmula	Pecho o fórmula
Día 25	Pecho o fórmula	Pecho o fórmula	Papilla de avena: 50 cc de leche (1/2 taza) + 10 g de cereal (2 cdas. soperas al ras) + Puré de chauchas: 50 g (1/4 taza) + Pera madura en puré: 75 g (1/2 unidad)	Pecho o fórmula	Pecho o fórmula
Día 26	Pecho o fórmula	Pecho o fórmula	Puré de zanahorias y batata: 100 g (1/3 taza) + Pera madura en puré: 75 g (1/2 unidad)	Pecho o fórmula	Pecho o fórmula
Día 27	Pecho o fórmula	Pecho o fórmula	Puré de calabaza y batata: 100 g (1/3 taza) + Banana madura pisada: 75 g (3/4 unidad chica)	Pecho o fórmula	Pecho o fórmula
Día 28	Pecho o fórmula	Pecho o fórmula	Papilla de avena: 50 cc de leche (1/2 taza) + 10 g de cereal (2 cdas. soperas al ras) + Puré de espinacas: 50 g (1/4 taza) + Manzana rallada: 50 g (1/3 unidad)	Pecho o fórmula	Pecho o fórmula

algo acerca de los *babyfoods*

Sobre todo en los países altamente industrializados y de alto poder adquisitivo de sus habitantes la línea de alimentos especiales para bebés, ya listos para ser consumidos, está muy desarrollada.
Estos productos vienen envasados en frascos de vidrio y ofrecen...

> *Las mismas papillas que la mamá podría hacer con frutas y verduras.*

> *Papillas que combinan cereales y verduras, y éstos con carne (indicados para los distintos meses de vida del bebé).*

> *La preparación es adecuada en su textura y llega en condiciones de esterilidad absoluta.*

> *Para su elaboración las empresas respetan las recomendaciones de las asociaciones médicas.*
> *Por lo general no agregan sal ni conservantes.*
> *Constituyen un excelente recurso en caso de viajes.*

importante:

- *Recuerde que una vez abierto el frasco ya no es más estéril y exige inmediata refrigeración. Su vida útil es muy corta.*
- *Sepa que usted puede guardar solamente restos de alimento no servidos. Nunca introduzca en el frasco la cuchara que el bebé se llevó a la boca, ya que se inutiliza el contenido de inmediato.*
- *Tenga en cuenta que, con estas mezclas, su bebé no aprende a degustar sabores definidos, ni reconoce texturas diferentes y este aprendizaje es importante para su futuro.*

una aclaración sobre los lácteos

Seguramente quedó sorprendida al ver que al bebé aún pequeño no le recomendamos yogur. Le explicamos que la demora en su inclusión no es por problemas digestivos. Por el contrario, el yogur es un producto alimenticio con un valor nutricional muy semejante a la leche pero con mayor digestibilidad. La razón es que por su elaboración, el yogur posee una carga de bacterias lácticas y por lo tanto es indispensable mantener estrictamente la cadena de frío para que las mismas no se multipliquen en exceso. Puede suceder que este corte de frío, que se traduce en una rápida alteración del gusto, pase desapercibido por el sabor ya ácido del producto.

Ésa es la única razón. Adquiera marcas seguras y en proveedores confiables cuando decida incluir el yogur en la alimentación de su bebé.

recetario

Atención: la cantidad de porciones que se indican en cada receta son porciones para el bebé o el niño.

papillas

✓ papilla de fécula de maíz

ingredientes
- *Respetar los indicados para la etapa del bebé.*

preparación
1. Disolver la fécula de maíz en la leche fría.
2. Llevar al fuego y cocinar sin parar de revolver hasta que hierva y se separe de los bordes.

✓ papilla de harina de arroz o de avena ultrafina

ingredientes
- *Respetar los indicados para la etapa del bebé.*

preparación
Seguir los mismos pasos de la "Papilla de fécula de maíz".

✓ papilla de harina de maíz (ultrafina y de cocción rápida)

ingredientes
- *Respetar los indicados para la etapa del bebé.*

preparación
1. Calentar la leche y cuando comience a hervir agregar la harina de maíz en forma de lluvia.
2. Cocinar sin parar de revolver durante 1 ó 2 minutos, hasta despegar de los bordes.

Si utiliza productos especiales para bebé que no necesitan cocción siga las instrucciones que figuran en el envase y extreme la higiene durante la preparación.

comidas

✓ puré de calabaza

(a partir de los 6 meses)

ingredientes
(6 porciones aproximadamente)

- *450 g de calabaza*

preparación

1. Lavar la calabaza y pelarla.
2. Cortarla en cubos grandes y colocar dentro de una cacerola.
3. Cubrir apenas con agua hirviendo y cocinar a fuego mediano hasta que esté tierna (unos 15-20 minutos aproximadamente).
4. Para cocinarla al vapor, colocar la calabaza en la canastita para cocción al vapor o de bambú e introducir dentro de una cacerola con agua hirviendo, sin que ésta toque la canasta. Tapar y cocinar unos 15 minutos o hasta que esté tierna.
5. Si va a utilizar el microondas, cortar la calabaza en cubos más pequeños, colocar en un recipiente para microondas y agregar unas cucharadas de agua hervida. Cubrir el recipiente con papel film apto para microondas, pincharlo con el tenedor para permitir la salida del vapor y cocinar al máximo de potencia unos 8-10 minutos.
6. Licuar la calabaza junto con el líquido de cocción o con la leche que habitualmente toma su bebé. La cantidad va a depender de la etapa en la que se encuentre, al principio el puré será bien chirle, luego más espeso.
7. Servir tibio en el plato del bebé. El resto congelarlo o guardarlo en la heladera.

agenda >

*El........ / .... / ....
probó por primera vez
este plato.*

Le gustó

No le gustó

✓ puré de zanahorias

(a partir de los 6 meses)

ingredientes
(6 porciones aproximadamente)

- *350 g de zanahorias*

preparación

1. Lavar las zanahorias y pelarlas.

2. Cortarlas en rodajas o tiras parejas y colocar dentro de una cacerola.

3. Cubrir apenas con agua hirviendo y cocinar a fuego mediano hasta que estén tiernas (unos 20 minutos aproximadamente). Las primeras veces asegúrese de cocinarlas un poco más, para que se puedan procesar hasta lograr una consistencia bien suave. Recuerde que la cocción de las zanahorias requiere más tiempo que el resto de los vegetales.

4. Para cocinarlas al vapor, colocar las zanahorias en la canastita para cocción al vapor o de bambú e introducir dentro de una cacerola con agua hirviendo, sin que ésta toque la canasta. Tapar y cocinar hasta que estén tiernas, unos 20 minutos.

5. Si va a utilizar el microondas, cortar las zanahorias en trozos más pequeños, colocar en un recipiente para microondas y agregar unas cucharadas de agua hervida. Cubrir el recipiente con papel film apto para microondas, pincharlo con el tenedor para permitir la salida del vapor y cocinar al máximo de potencia unos 10 minutos.

6. Licuar las zanahorias junto con el líquido de cocción o con la leche que habitualmente toma su bebé. Recuerde que la cantidad de líquido va a depender de la etapa en la que se encuentre.

7. Servir tibia, sólo la porción que va a consumir el bebé. Congelar el resto o guardarlo en la heladera.

El........ / .... / ....
probó por primera vez
este plato.

Le gustó

No le gustó

agenda >

✓ puré de chauchas

(a partir de los 6 meses)

ingredientes

(6 porciones aproximadamente)

- *350 g de chauchas frescas*

preparación

1. Lavar las chauchas y con un pelapapas quitarles los hilos y las puntas.
2. Cortarlas al medio si fueran muy largas y colocar dentro de una cacerola.
3. Cubrir apenas con agua hirviendo y cocinar a fuego mediano hasta que estén tiernas (unos 10 minutos aproximadamente).
4. Para cocinarlas al vapor, colocar las chauchas en la canastita para cocción al vapor o de bambú e introducir dentro de una cacerola con agua hirviendo, sin que ésta toque la canasta. Tapar y cocinar hasta que estén tiernas (6-8 minutos).
5. Si va a utilizar el microondas, cortar las chauchas al medio, colocar en un recipiente para microondas y agregar unas cucharadas de agua hervida. Cubrir el recipiente con papel film apto para microondas, pincharlo con el tenedor para permitir la salida del vapor y cocinar al máximo de potencia unos 8-10 minutos.
6. Licuar las chauchas junto con el líquido de cocción o con la leche que habitualmente toma su bebé. Recuerde que la cantidad de líquido va a depender de la etapa en la que se encuentre.
7. Servir tibia, sólo la porción que va a consumir el bebé. Congelar el resto o guardarlo en la heladera.

agenda >

El........ / .... / ....
probó por primera vez este plato.

Le gustó

No le gustó

✓ puré de espinacas

(a partir de los 6 meses)

ingredientes
(6 porciones aproximadamente)

- *450 g de espinacas frescas ó 300 g de espinacas congeladas*

preparación
1. Lavar las hojas de espinacas.
2. Colocar una cacerola con agua a hervir.
3. Una vez que rompa el hervor, disponer las hojas de espinaca y blanquear apenas 2 minutos. Retirar del agua y colocar dentro de un recipiente con agua bien fría. Escurrir.
4. Si va a utilizar las espinacas congeladas, descongélelas en la heladera unas horas antes o colóquelas aún congeladas dentro de un recipiente apto para microondas. Descongele según las instrucciones de su aparato.
5. Licuar las espinacas con la cantidad de leche necesaria. Servir una porción tibia en el plato del bebé. Congelar el resto o guardarlo en la heladera.

atención: *las primeras veces mezclarlo con unas cucharadas de papilla de algún cereal, para que la preparación sea más cremosa.*

El........ / .... / .... probó por primera vez este plato.

Le gustó 😊

No le gustó 😝

agenda >

✓ la primera salsa blanca

(a partir de los 6 meses)

Le será útil para combinar con una pasta o con un vegetal que ya el bebé haya degustado como puré. Pero también la podrá utilizar sin inconvenientes para el resto de la familia... ¡Comience a ahorrar tiempo!
La receta que le ofrecemos es la de una salsa de buena textura y no muy espesa.

ingredientes
- *Una taza de leche entera (250 cc)*
- *Una cucharada sopera al ras de fécula de maíz*

preparación
1. Deslíe la fécula en una parte de la leche, en frío.
2. Ponga a calentar el resto de la leche.
3. Mezcle lo caliente a lo frío sin parar de revolver.
4. Vuelva a llevar sobre el fuego, deje que hierva 2 minutos, revolviendo siempre.

¡Ya está lista para que el bebé la pueda consumir así!
Para el resto de la familia condimente a gusto con sal, pimienta y nuez moscada.

agenda >

*El .... / .... / ....
probó por primera vez
este plato.*

Le gustó

No le gustó

postre

✓ compota de manzanas

(a partir de los 6 meses)

ingredientes
(6 porciones aproximadamente)

- *450 g de manzanas rojas maduras*

preparación

1. Lavar las manzanas, pelarlas y quitarles el centro.
2. Cortarlas en láminas finas y colocar dentro de una cacerola.
3. Cubrir apenas con agua hirviendo y cocinar a fuego mediano hasta que estén tiernas (unos 8-10 minutos aproximadamente)
4. Para cocinarlas en el microondas, colocar las láminas de manzanas en un recipiente para microondas y agregar unas cucharadas de agua hervida. Cubrir el recipiente con papel film apto para microondas, pincharlo con el tenedor para permitir la salida del vapor y cocinar al máximo de potencia unos 3-4 minutos, hasta que estén tiernas.
5. Las primeras veces, licuar la manzana cocida junto con el líquido de cocción hasta lograr un puré bien suave. Las veces posteriores, pisar las láminas con un tenedor junto con un poco del agua de cocción.
6. Servir una porción tibia o a temperatura ambiente. El resto congelarlo o guardarlo en la heladera.

El........ / .... / ....
probó por primera vez este plato.

Le gustó

No le gustó

agenda >

en este período el pediatra
aconseja incluir...

dos etapas decisivas

de los 7 a los 9 meses
de los 9 a los 12 meses

Entre los 7 y los 12 meses… ¡comienza el cambio más visible! El bebé muestra grandes avances en su motricidad: es la etapa del gateo. También aumenta su destreza manual y empieza a tomar los alimentos con las manos. Éste es un aprendizaje muy importante que las mamás tienen que aceptar para que finalmente el pequeño adopte la cuchara como contenedora de comida para llevar a la boca y no como un elemento de juego para esparcirla a diestra y siniestra.

Los logros alimentarios de este período son: aprende a beber en taza (aunque usted le siga dando el pecho o el biberón); toma el biberón con sus manos (si es que no le da pecho), aprende a sostener y a comer con la cuchara.

la aparición de los primeros dientes

La dentición comienza alrededor del 6º u 8º mes. Usted percibirá esos bultitos dentro de la encía, como capullitos listos para abrirse. Sepa que esos primeros dientecitos se empezaron a formar durante el embarazo (una razón más para prestar atención a la calidad de la alimentación de la futura mamá).

De ahora en más habrá que atender a su cuidado para que puedan cumplir su función saludablemente, hasta el momento de ser cambiados por la dentición definitiva. Su médico le enseñará a higienizarlos con un pequeño cepillo dental especial para las encías del bebé.

No olvide que es una etapa dolorosa y el niño siente necesidad de apretar algo contra sus encías para calmar su malestar. Las molestias muchas veces pueden restarle apetito. No se inquiete y comprenda que seguramente los alimentos fríos serán mejor tolerados que los calientes (si hace calor las sopas frías serán bien aceptadas).

Algunos alimentos frescos pero consistentes admiten ser cortados en bastones y, al ofrecerlos al niño, los utilizará simplemente para apretar. Un buen ejemplo lo constituyen los bastones de pepinos o de zanahorias.

En este período y en los próximos días su bebé madurará aceleradamente. Es un buen momento, entonces, para invitarlo a aceptar la taza (ayudará elegir una de las que son especiales para bebés).

El uso de la taza después del año es fundamental para una mejor salud de los dientes, ya que al beber líquidos dulces éstos permanecerán menos tiempo en contacto con los dientes. El biberón invita a que los líquidos queden retenidos más tiempo en la boca.

¿cuánto es la ración del aún bebé?

> *Recuerde que la leche materna o de fórmula sigue siendo la base de su alimentación, aunque ya almuerce y cene y tal vez tenga alguna pequeñita ración de alimentos diferentes para el desayuno.*

> *Seguirá tomando no menos de 600 ml hasta cumplir un año.*

lo importante de este período

> *Avanzar con la oferta de texturas, colores y sabores.*

> *Evolucionar con el comportamiento social frente al alimento. Ya el bebé se queda bien sentado en su silla y reconoce olores y sabores y va perfilando sus gustos.*

> *No mezcle los alimentos, es importante que él aprenda a degustarlos y a reconocerlos, seguramente la zanahoria y la calabaza ya las tiene aceptadas, pero mucho de lo verde tiene sabores muy marcados.*

> *No haga un multipuré. Ése es el mejor camino para que no se dé cuenta de lo nuevo que está comiendo y que simplemente trague una papilla más.*

> *Comienza la autonomía del bebé. Deje que sea él el que diga "basta" y no lo fuerce a comer si no lo desea. Tenga siempre presente que la capacidad gástrica del niño es reducida.*

> *Permítale tocar los alimentos con la mano (esto también forma parte del aprendizaje).*

> *La inclusión de carnes rojas magras, aves y huevos en esta etapa es fundamental. Son fuente de hierro y los depósitos de ese mineral que tenía al nacer han llegado a su fin. Las necesidades de hierro resultan elevadas, por eso la recomendación de incluir hierro HEM, el de mejor absorción, aportado por las carnes.*

> *Sepa también que la incorporación de algunos vegetales como el brócoli contribuye al aporte de hierro y de la vitamina C que necesita para ser absorbido, ya que no es hierro HEM.*

alimentos entre los 7 y los 9 meses

ALMIDONES _____

> *Papilla de otros cereales para bebés (no necesita cocción).*

> *Harina de trigo, sémola de trigo (necesitan cocción).*

> *Arroz blanco, cebada perlada (necesitan cocción). Al comprar arroz elija arroz blanco común de grano largo, no escoja las opciones de "arroz que no se pasa" ni arroz integral.*

> *Pastas simples de laminado fino (cabellos de ángel, municiones, etcétera, en primer término; luego tallarines de laminado muy fino. No utilice pasta tipo italiana elaborada con trigo duro, porque no se ablanda lo suficiente).*

> *Papas, ñoquis de papas caseros.*

VERDURAS _____

> *Remolachas, zapallitos redondos y zucchini (busque en estos casos verduras de tamaño pequeño y asegúrese de que no sean fibrosas, sobre todo la remolacha).*

> *Espárragos, corazón de alcauciles (elija solamente la variedad de espárragos verdes, finos y tiernos).*

> *Acelga, brócoli, coliflor (escoja vegetales de pequeño tamaño porque son más tiernos).*

FRUTAS _____

> *Duraznos, ciruelas, pelones, damascos (siempre bien maduros).*

> *Papaya, uvas sin piel ni semillas (adquiera variedades de uvas pequeñas, que tienen la piel más fina y la pulpa más acuosa).*

> *Cerezas sin carozo, sandía sin semillas.*

CARNES _____

> *Vacunas magras (elija los cortes siguientes: nalga, cuadril, lomo y bola de lomo).*

> *Pollo sin piel bien cocido.*

HUEVOS (EN PROGRESIÓN) ───────────────────────────────

> *¹/₄ de yema: 2 veces por semana.*

> *¹/₂ yema: 2 veces por semana.*

> *1 yema: 2 veces por semana.*

LÁCTEOS ──

> *Sigue tomando leche materna o de fórmula.*

> *Leche de vaca (sólo en muy pequeña cantidad y si está ligada a fécula integrando una salsa blanca o un puré).*

SUSTANCIAS GRASAS ────────────────────────────────

> *Palta (bien madura, en puré con jugo de limón).*

> *Aceites de oliva, de girasol, etcétera (sin calentar).*

recuerde: *éstos son los alimentos nuevos, por lo tanto no deje de incluir los que el niño ya ha probado.*

¿qué líquidos toma el niño en esta etapa?

Ya hablamos del agua. Es importante darle al bebé agua (y no jugos ni bebidas dulces glucocarbonatadas), sobre todo si hace calor.

La oferta de bebidas azucaradas (jugos) o que contienen fósforo (las bebidas cola), producen una acidez en el medio bucal que perjudica el esmalte dentario y la estructura de los dientes y favorece la aparición temprana de caries. Evítelas.

compartiendo algunas recetas

El niño ya está en condiciones de compartir algunos de sus exquisitos platos con el resto de la familia. Esto se traducirá en ahorro de tiempo para usted. La única condición que hay que tener en cuenta es que, al elaborarlos, se debe retirar la porción del pequeño antes de agregar los condimentos picantes (pimienta molida por ejemplo). De esta manera toda la familia disfrutará del placer de comer rico.

recetario

Atención: la cantidad de porciones que se indica en cada receta son porciones para el bebé o el niño.

comidas

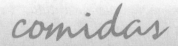

✓ salsa de tomates liviana

(a partir de los 7 meses)

ingredientes
(6 porciones aproximadamente)

- 400 g de tomates pelados, sin semillas y cortados en cubos
- Una cucharadita de té de azúcar
- Una hoja de laurel
- 150 cc de caldo de verduras colado
- Una cucharada de postre de aceite de oliva
- Una pizca de sal

agenda >

El........ / .... / ....
**probó por primera vez
este plato.**

Le gustó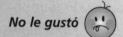

No le gustó

preparación

1. Colocar en una cacerola los tomates, agregar la sal, el azúcar, la hoja de laurel y el caldo. Dejar cocinar a fuego mínimo durante 8-10 minutos.

2. Incorporar la cucharada de aceite, retirar la hoja de laurel y apagar el fuego.

3. Según la edad del bebé, se puede licuar o no la preparación. Servir tibia.

nota: si no hay tomates frescos pueden utilizarse enlatados, siempre que no contengan otros ingredientes agregados.

✓ flancitos de verduras

(a partir de los 7 meses o cuando su pediatra indique incluir yemas)

ingredientes
(2 porciones)

- *½ taza de puré de verduras (calabaza, zanahorias, zapallitos, zapallo) (100g)*
- *2 yemas ligeramente batidas*
- *½ taza de la leche que toma su bebé (125 cc)*

preparación

1. Precalentar el horno a 180 °C.
2. En un bol o en la licuadora, mezclar las yemas junto a la verdura y la leche.
3. Volcar en una flanera pequeña enmantecada o en moldecitos individuales.
4. Colocar sobre una asadera con agua y llevar al horno.
5. Cocinar a baño de María durante 30 minutos aproximadamente.

nota: *esta preparación es útil cuando el bebé no tolera la yema de huevo duro cocida.*

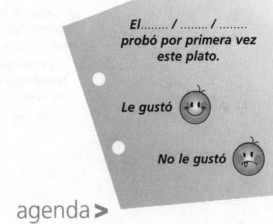

El........ / .... / ....
probó por primera vez
este plato.

Le gustó

No le gustó

agenda ❯

✓ pan de carne con manzanas y zanahorias

(a partir de los 8 meses)

ingredientes
(6 porciones)

- *500 g de carne picada magra*
- *1/4 de taza de avena superfina*
- *Una manzana verde pelada y rallada*
- *Una zanahoria pelada y rallada*
- *Una cucharadita de té de perejil fresco picado*
- *Una pizca de sal*

preparación

1. Precalentar el horno a 200 °C.
2. En un bol mezclar la carne picada junto con el resto de los ingredientes y la pizca de sal.
3. Darle forma de pan, sobre un rectángulo de papel manteca rociado con spray vegetal o pincelado con aceite.
4. Cerrar formando un paquete.
5. Llevar al horno y cocinar durante 30 minutos en una asadera (puede poner un poquito de agua en ella para que no se queme).
6. Antes de retirarlo, abra el paquete para que el contenido se dore en su superficie, sin que llegue a secarse.
7. Servir acompañado con puré de verduras o papas.

agenda >

El........ / .... / ....
probó por primera vez
este plato.

Le gustó

No le gustó

postres

✓ avena con manzanas y peras

(a partir de los 7 meses)

ingredientes
(4 porciones aproximadamente)

- *2 cucharadas de avena arrollada*
- *4 cucharadas de jugo de manzanas*
- *2 cucharadas de agua hervida*
- *1/2 manzana pelada, rallada gruesa*
- *Una pera pequeña, madura, pelada, cortada en cubitos*

preparación

1. En una cacerola pequeña colocar la avena junto con el jugo de manzanas y el agua.
2. Una vez que rompa el hervor, cocinar durante 2 minutos a fuego mínimo.
3. Agregar la manzana rallada y la pera. Tapar la cacerola y cocinar 3 minutos más, revolviendo de vez en cuando.
4. Si se desea, procesar antes de servir, sobre todo las primeras veces.
5. Ofrecer tibio o frío.

El........ / .... / ....
probó por primera vez
este plato.

Le gustó

No le gustó

agenda ❯

57

✓ puré de banana y palta

(a partir de los 7 meses)

ingredientes
(2 porciones aproximadamente)

- *¹/₂ palta*
- *Una banana madura*
- *Gotas de jugo de limón*

preparación

1. Pisar la banana junto con la palta y agregar unas gotas de jugo de limón.
2. Si fuera necesario, incorporar una cucharada de la leche habitual que toma su bebé.

agenda >

El........ / .... / ....
probó por primera vez
este plato.

Le gustó

No le gustó

✓ helado de frutas

(a partir de los 7 meses y, si son frutillas, a partir de 1 año)

ingredientes
(8 porciones aproximadamente)

- *450 g de duraznos pelados y sin carozo o 450 g de frutillas sin cabito*
- *2 cucharadas de miel pasteurizada o de azúcar*

preparación

1. Colocar en la procesadora la fruta lavada y procesar hasta obtener un puré. Tamizar para eliminar las semillas en el caso de las frutillas.
2. Agregar la miel o el azúcar y volver a procesar.
3. Verter la preparación en la máquina heladora y seguir las instrucciones.
4. De no contar con la máquina, poner la preparación en un recipiente de acero inoxidable y llevar al freezer, teniendo en cuenta que los recipientes de vidrio retardan el proceso.
5. Cuando se hayan solidificado los bordes y el centro esté aún algo blando, retirar del freezer y volver a colocar en la procesadora. Procesar hasta obtener una consistencia homogénea.
6. Volver a colocar la preparación en el freezer durante 15 minutos antes de servir.

El........ / .... / ....
probó por primera vez
este plato.

Le gustó

No le gustó

agenda ➤

✓ arroz con leche

(a partir de los 8 meses)

ingredientes
(10 porciones aproximadamente)

- *100 g de arroz blanco*
- *1 y ¼ litros de leche entera (o la que tome su bebé)*
- *75 g de azúcar*
- *¼ de cucharadita de té de esencia de vainilla*
- *Ralladura de 1/2 limón*
- *Una pizca de canela*

preparación

1. Colocar el arroz dentro de una cacerola de fondo grueso.
2. Agregar la leche, el azúcar, la esencia de vainilla y la ralladura de limón. Revolver.
3. Llevar a fuego mediano hasta que rompa el hervor, revolviendo de vez en cuando para que no se pegue el arroz al fondo de la cacerola.
4. Bajar el fuego a mínimo y cocinar durante 45 minutos, hasta que el arroz esté tierno y la leche más espesa.
5. Guardar en la heladera en un recipiente cubierto con papel film.
6. Servir solo, espolvoreado con una pizca de canela o con frutas cortadas en trozos pequeños.

agenda >

*El......... / .... / ....
probó por primera vez
este plato.*

Le gustó 😊

No le gustó ☹

se acerca el primer cumpleaños

Al mirar al bebé, a esta altura de su crecimiento, usted notará que muchos cambios han ocurrido... ¡y están ocurriendo minuto a minuto! Seguramente advertirá cierta determinación, que él pone en juego cuando decide comer con sus propias manos o manejar la cuchara. En su boca se ven algunos dientes, lo que le permite, semana a semana, avanzar en sus predilecciones e ir comiendo preparaciones más sólidas.

¿a cuánto asciende la ración del niño?

> *Almidones: 3 a 4 porciones al día, pero tenga en cuenta que una ración para el bebé es $^1/2$ taza de té de pasta ya cocida o de puré o una tostada o una cucharada de harinas en crudo.*

> *Frutas y verduras: 3 a 4 porciones (pequeñitas, de 50 g).*

> *Carne o pollo o pescado: 1 porción ó 1 y $^1/2$, pero la porción es de una cucharada de carne ya molida, lo que equivale a 20 ó 30 g.*

> *Leche: sigue necesitando leche materna o de fórmula, alrededor de 600 cc al día.*

A medida que el bebé sea más grande e incorpore queso podrá disminuir la ingesta de leche.

> *Cuerpos grasos: 1 a 2 porciones. Recuerde que tiene que privilegiar el agregado de aceites o puré de palta sobre la manteca o la crema, porque le brindan los ácidos grasos esenciales que el bebé necesita, pero todos son utilizables.*

para integrar su menú rescate los mejores nutrientes

> *Es muy importante la variedad, ya que esto acompaña siempre a una oferta de nutrientes más completa.*

> *Las carnes rojas tienen más hierro que las blancas.*

> *Los pescados más oscuros (salmón o atún, por ejemplo) poseen más grasas que los blancos, pero parte de ellas es el Omega 3, una familia de ácidos grasos muy saludable para el desarrollo del bebé y también para el resto de la familia.*

> *Elija verduras de diferentes colores, recuerde que acompañan a las vitaminas y a los fitonutrientes.*

> *Aproveche para dar el trocito de cítricos o su jugo en la misma comida que se ofrecen los vegetales verdes o el puré de lentejas, así el hierro vegetal se absorbe mejor.*

> *Cocine los huevos hasta que la yema y la clara estén bien coaguladas. Es por seguridad y para mejor digestibilidad.*

> *La mayor oferta de productos lácteos en esta etapa refuerza los aportes de calcio que el bebé necesita para completar bien su dentición.*

algo más sobre lácteos que le conviene saber...

> *Que no todos los subproductos de la leche comparten sus mismos nutrientes. La manteca y la crema de leche sólo tienen las grasas de la leche y las vitaminas liposolubles (la A y la D). Las proteínas y el calcio aparecen en cantidades muy pequeñas.*

> *Que los quesos untables (blancos y crema) tienen más proteínas que la leche. Sus grasas son muy variables ya que pueden ir desde 0 a 5 g por ciento en los descremados hasta 25 g por ciento en los quesos crema. La cantidad de calcio que aportan en relación a la cantidad que se utiliza no es significativa.*

> *Que los quesos compactos durante el proceso de elaboración concentran mucho sus proteínas, sus grasas y también sus minerales. Por esa razón una muy pequeña cantidad se convierte en un aporte importante tanto de proteínas como de calcio. Se eligen quesos frescos o mozzarella porque tienen menos sodio que los más estacionados.*

alimentos entre los 9 y los 12 meses

ALMIDONES _____

> *Pastas simples de laminado más grueso (tallarines, cintitas, tirabuzones, caracolitos).*

> *Pastas rellenas con alimentos permitidos (ravioles, canelones, lasagna, etcétera).*

> *Copos de cereales que se disuelvan en la boca (copos de maíz, arroz, etcétera).*

> *Galletas o panes con bajo contenido en grasas (bizcochos tipo Bay Biscuit, tostadas de mesa, vainillas o bizcochuelos).*

> *Choclo en grano, trigo burgol o cuscús (conviene comenzar con choclo cremoso o elegir las variedades más tiernas, teniendo en cuenta que se darán ralladas o procesadas).*

> *Legumbres: primero en puré y tamizadas, luego procesadas y recién después enteras bien cocidas.*

VERDURAS

> *Champiñones, ajíes, morrones.*

> *Tomates sin semillas, palmitos, berenjenas sin semillas.*

> *Puerros, cebollas, cebollas de verdeo (bien cocidos).*

FRUTAS

> *Cítricos (primero en jugos, después en trozos pequeños).*

> *Mango, ananá.*

CARNES

> *Cerdo y cordero (cortes magros bien cocidos).*

> *Pescado (al principio elegir los que no tengan sabor demasiado fuerte: abadejo, lenguado, gatuzo, salmón).*

LÁCTEOS

> *Yogur entero.*

> *Para empezar, quesos blancos y frescos no picantes (cuartirolo, port salut, mozzarella, etcétera). Luego seguir con los quesos más maduros (Mar del Plata, fontina, etcétera) y de rallar poco estacionados (sardo, parmesano, etcétera).*

> *Sigue tomando leche materna o de fórmula.*

> *Leche de vaca (solamente en muy pequeña cantidad y si está ligada a fécula integrando una salsa blanca).*

SUSTANCIAS GRASAS

> *Manteca y crema de leche.*

> *Aceitunas sin carozo y trozadas (picadas primero).*

Recuerde que éstos son los alimentos que usted comenzará a introducir progresivamente, pero no deje de incluir los ya conocidos.

recetario

Atención: la cantidad de porciones que se indica en cada receta son porciones para el bebé o el niño.

comidas

✓ sopa de brócoli

(a partir de los 9 meses)

ingredientes
(10 porciones)

- *1 kilo de brócoli apenas cocidos al vapor*
- *1 litro de caldo de verduras*
- *4 cucharadas de crema de leche*
- *Una pizca de sal*

preparación

1. Colocar el caldo en una cacerola y agregar el brócoli para terminar de cocinarlo y para que el caldo tome sabor.

2. Licuar la preparación hasta que quede con una consistencia cremosa.

3. Incorporar la crema de leche y condimentar con sal.

4. Calentar unos minutos y servir.

agenda >

El........ / .... / ....
probó por primera vez
este plato.

Le gustó

No le gustó

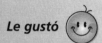

✓ puré de lentejas, calabaza y queso

(a partir de los 9 meses)

ingredientes
(4 porciones)

- $^1/_4$ de cebolla chica rallada (25 g)
- Una cucharadita de té de aceite de girasol
- 2 cucharadas de lentejas secas (25 g)
- 200 g de calabaza pelada y cortada en cubitos
- 200 g de tomates pelados, sin semillas y cortados en cubos (2 unidades)
- Una cucharadita de té de manteca
- 2 cucharadas de queso mozzarella rallado grueso (50 g)
- Una pizca de sal

preparación

1. En una sartén, saltear la cebolla en el aceite hasta que se ablande (mejor tapada, para que no se dore ni se queme).
2. Lavar las lentejas en agua fresca dos veces, escurrir y agregar a la cebolla.
3. Incorporar la calabaza, cubrir con agua y dejar hervir. Una vez que rompa el hervor, bajar un poco el fuego, tapar y dejar cocinar de 25 a 30 minutos.
4. En otra cacerolita, saltear apenas los tomates en la manteca. Agregar el queso y apagar el fuego. Mezclar bien.
5. Cuando las lentejas estén tiernas, pasar la preparación por un chino o colador y reservar el líquido de cocción.
6. En el vaso de la licuadora o procesadora, colocar las lentejas y calabaza junto con los tomates y 1/2 taza del líquido de cocción. Añadir la pizca de sal y procesar hasta obtener un puré cremoso. Si hiciera falta agregar un poco más de líquido.
7. Servir tibio, solo o con una cucharada de queso crema.

agenda >

El........ / .... / .... probó por primera vez este plato.

Le gustó 😊

No le gustó ☹

✓ pechuguitas sorpresa con bolitas de calabaza y puré de brócoli

(a partir de los 9 meses)

ingredientes
(8 porciones)

- *4 supremas de pollo (aproximadamente 100 g cada una)*
- *4 tiras de ají morrón, cocido y sin piel*
- *100 g de queso fresco o mozzarella*
- *Una pizca de sal*

guarnición
- *400 g de calabaza noisette (en bolitas)*
- *400 g de brócoli congelado (1 paquete)*
- *150 cc de crema de leche*

preparación

1. Ubicar las supremas entre dos hojas de papel film y aplastarlas con el palo de amasar hasta que queden de 1 cm de espesor. Salar.

2. Colocar una tira de morrón sobre cada pechuga y cubrir con un trozo de queso. Cerrar la pechuga en forma longitudinal imitando su forma natural. Envolver en papel film apto para cocinar ajustando bien las puntas como si fuera un arrollado.

3. Cocinar 15 minutos al vapor o en agua hirviendo. Retirar y reservar.

4. Cocinar las bolitas de calabaza al vapor durante 15 minutos.

5. Descongelar los brócoli y procesarlos junto con la crema de leche (debe quedar un puré). Salar y calentar en el microondas o en una cacerolita.

6. Retirar el papel film de las pechugas y filetearlas. Servir 1/2 pechuga por porción, cubrir con el puré de brócoli y las bolitas de calabaza.

agenda >

El........ / .... / ....
probó por primera vez este plato.

Le gustó

No le gustó

✓ timbales de espárragos

(a partir de los 9 meses)

ingredientes
(6 porciones aproximadamente)

- 500 g de espárragos limpios
- Una cucharada de gelatina sin sabor
- Una taza de caldo de gallina
- 250 g de ricota
- 1/2 pote de yogur natural (100 g)
- 2 cucharadas de ciboulette picada
- 3 cucharadas de perejil fresco muy picado
- Una pizca de sal

preparación

1. Cocinar los espárragos hasta que estén tiernos pero firmes. Reservar 18 puntas de los espárragos y cortar el resto en trozos pequeños.
2. Disolver la gelatina en la taza de caldo caliente. Enfriar.
3. En la procesadora colocar la ricota, el yogur, la *ciboulette*, el perejil y la sal. Procesar hasta obtener un puré. Mezclar con la preparación de gelatina y espárragos y unir bien.
4. Agregar los espárragos en trozos a la mezcla de gelatina y ricota.
5. Verter la preparación en 6 moldes individuales. Llevar a la heladera hasta que se endurezca (6 horas aproximadamente).
6. Desmoldarlos y servir sobre un colchón de hojas de lechuga. Colocar 3 puntas de espárragos sobre cada timbal.

El........ / .... / ....
**probó por primera vez
este plato.**

Le gustó 😊

No le gustó 😖

agenda >

✓ puré de papas verde

(a partir de los 9 meses)

ingredientes
(6 porciones aproximadamente)

- *375 cc de caldo de verduras*
- *250 g de papas peladas, cortadas en cubos*
- *50 g de flores de brócoli (fresco o congelado)*
- *50 g de arvejas congeladas*
- *15 g de manteca*
- *Una pizca de sal*

preparación

1. Colocar el caldo dentro de una cacerola y llevar a punto de hervor.
2. Incorporar las papas y cocinar a fuego mediano hasta que estén tiernas (unos 15 minutos aproximadamente).
3. Agregar las flores de brócoli y las arvejas y cocinar unos 6 minutos más.
4. Añadir la manteca y pisar hasta obtener un puré.
5. Salar y si hiciera falta agregar un poco de la leche habitual del bebé.

agenda >

El........ / .... / ....
probó por primera vez
este plato.

Le gustó

No le gustó

✓ moñitos con yogur y *zucchini*

(a partir de los 9 meses)

ingredientes
(10 porciones)

- *500 g de zucchini*
- *Una cucharada de postre de manteca*
- *1/2 taza de crema de leche (125 g)*
- *1 y 1/2 potes de yogur natural (300 g)*
- *Una cucharadita de té de miel pasteurizada o azúcar*
- *Perejil fresco muy picado*
- *Una cucharadita de té de sal*
- *250 g de moñitos secos*
- *Queso parmesano o reggianito rallado para espolvorear (elija el más suave o compre queso poco estacionado y rállelo usted)*

preparación

1. *Cortar los zucchini en rodajas finitas. Colocarlos en una sartén con la cucharada de manteca y una de agua, tapados, hasta que se ablanden un poco.*
2. *Retirar del fuego y agregar la crema de leche, el yogur, la miel y el perejil. Mezclar bien y reservar.*
3. *Llevar el agua a hervir con una cucharadita de sal en una cacerola grande.*
4. *Una vez que rompa el hervor, agregar la pasta y cocinar durante 10 minutos. Escurrir.*
5. *Mezclar la pasta en la sartén con los zucchini y revolver hasta incorporar bien la crema (puede hacerlo sobre difusor para que no se queme la crema).*
6. *Servir espolvoreado con queso rallado.*

El........ / .... / .... probó por primera vez este plato.

Le gustó

No le gustó

agenda >

✓ torres de puerros y pollo

(a partir de los 10 meses)

ingredientes
(8 porciones)

- *2 cucharaditas de aceite de oliva*
- *Una cebolla mediana (100 g)*
- *200 g de puerros lavados y cortados en paisana (rodajas finas)*
- *1 diente de ajo pequeño y picado (sin el brote)*
- *1/3 de taza de vinagre de manzana*
- *400 g de pechuga de pollo hervida*
- *1 pote de crema de leche (200 g)*

- *Una pizca de sal*

panqueques
- *2 huevos*
- *Una cucharadita de aceite de girasol*
- *Una taza de leche (250 cc)*
- *120 g de harina leudante*
- *Una pizca de sal*

preparación

1. Para hacer los panqueques, colocar los huevos, el aceite y la leche en un bol y batir. Agregar la harina previamente tamizada con la sal y mezclar bien con batidor de alambre hasta que quede una pasta lisa que cubra bien la cuchara.

2. Para preparar el relleno, en una sartén colocar las dos cucharaditas de aceite y saltear la cebolla cortada en juliana, los puerros y el ajo hasta que estén transparentes. Condimentar con una pizca de sal e incorporar el vinagre. Cocinar hasta que se evapore por completo el líquido.

3. Agregar las pechugas de pollo picadas y cocinar unos minutos más. Incorporar la crema de leche y apagar el fuego.

4. Cocinar los panqueques colocando cucharadas de pasta en una sartén antiadherente bien caliente. Esperar a que se doren, dar vuelta y cocinarlos del otro lado.

5. Armar las torres colocando un panqueque, en el plato, una cucharada del relleno, otro panqueque, relleno y cubrir con un tercer panqueque.

agenda ❯

El........ / .... / ....
probó por primera vez este plato.

Le gustó

No le gustó

✓ *rolls* de merluza, espinaca y manzana

(a partir de los 11 meses)

ingredientes
(4 porciones)

- *3 cucharadas de postre de manteca blanda*
- *2 cucharadas de postre de perejil fresco picado*
- *1 diente de ajo pequeño y picado (sin el brote)*
- *4 filetes de merluza sin espinas*
- *2 manzanas peladas y cortadas en juliana (tiritas finas)*
- *4 hojas grandes de espinaca fresca*
- *Jugo de un limón*
- *Una pizca de sal*

preparación

1. Precalentar el horno a 180 °C.

2. En un recipiente mezclar la manteca junto con el perejil y el ajo hasta formar una pasta.

3. En una tabla limpia, colocar los filetes de pescado y untar cada uno con una cucharada de la pasta de manteca.

4. Acomodar sobre cada uno de ellos un poco de la manzana en tiritas y arrollar bien ajustado.

5. Colocar una cacerola con agua al fuego y cuando rompa el hervor, agregar una cucharadita de sal y blanquear las espinacas unos 10 segundos. Enfriar en un recipiente con agua helada.

6. Envolver cada rollito con una hoja de espinaca blanqueada y colocarlos sobre una placa para horno enmantecada. Rociar con el jugo de limón.

7. Llevar al horno y cocinar durante 10 minutos. Para cocinar al microondas, colocar los rollitos en una fuente de vidrio, rociar con el jugo de limón y cubrir con papel film. Cocinar al máximo de potencia durante 4 minutos.

agenda **>**

El .... / .... / ....
probó por primera vez
este plato.

Le gustó 🙂

No le gustó 🙁

71

postres

✓ flan cremoso de leche condensada

(a partir de los 9 meses)

ingredientes
(10 porciones aproximadamente)

- *Una lata de leche condensada*
- *2 latas de leche entera*
- *3 huevos*
- *Azúcar para acaramelar el molde*

preparación

1. Precalentar el horno a 200 °C.
2. Acaramelar el molde y reservar.
3. Colocar dentro de un bol la leche condensada. Reservar la lata vacía para medir la leche.
4. Agregar las dos latas de leche entera y los 3 huevos.
5. Mezclar bien y colocar dentro del molde acaramelado.
6. Llevar a baño de María en el horno y cocinar durante una hora, hasta que al introducir un escarbadiente o la punta del cuchillo, salgan limpios.
7. Dejar entibiar dentro del molde.
8. Desmoldar sobre un plato y servir solo o con dulce de leche.

agenda >

El .... / .... / ....
probó por primera vez
este plato.

Le gustó

No le gustó

✓ pan de bananas

(a partir de los 9 meses)

ingredientes

(12 porciones)

- *2 huevos*
- *Una taza de azúcar rubia (200 g)*
- *$1/2$ taza de aceite (125 g)*
- *3 bananas pisadas (270 g)*
- *Una cucharadita de esencia de vainilla*
- *1 y $1/2$ tazas de harina 0000 (240 g)*
- *1 y $1/2$ cucharaditas de polvo para hornear*

preparación

1. Precalentar el horno a 160 °C.
2. En un bol batir los huevos con el azúcar.
3. Agregar el aceite, las bananas pisadas y la esencia de vainilla.
4. Tamizar la harina con el polvo para hornear e incorporar a la preparación anterior.
5. Colocar en una budinera enmantecada y cocinar en horno suave durante una hora aproximadamente.
6. Retirar y dejar enfriar sobre una rejilla antes de servir.

nota: *éste es uno de los primeros budines que le puede servir al bebé.*

El........ / .... / ....
probó por primera vez
este plato.

Le gustó 😊

No le gustó ☹

agenda ➤

73

✓ creme brulée de frutas

(a partir de los 9 meses)

ingredientes

(4 porciones aproximadamente)

- *200 g de frutas varias según la edad, peladas y cortadas en trozos*
- *³/4 de taza de crema de leche*
- *4 cucharadas de azúcar impalpable*
- *³/4 de pote de yogur natural o de vainilla (150 g)*
- *Una cucharadita de esencia de vainilla*
- *4 moldecitos de soufflé para horno*

preparación

1. Precalentar el grill o la parrilla del horno.
2. Dividir los trozos de fruta entre los 4 moldecitos para horno.
3. En un bol batir la crema de leche a medio punto junto con 2 cucharadas del azúcar impalpable.
4. Agregar el yogur y la esencia de vainilla. Mezclar bien.
5. Cubrir las frutas con la mezcla de crema y yogur y espolvorear con el resto de azúcar impalpable.
6. Llevar al horno y cocinar hasta que el azúcar se caramelice.
7. Dejar enfriar un poco antes de servir (¡el caramelo quema!).

agenda >

El .... / .... / ....
probó por primera vez
este plato.

Le gustó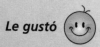

No le gustó

✓ yogur helado de duraznos

(a partir de los 9 meses)

ingredientes
(6 porciones)

- *6 duraznos pequeños y maduros (600 g)*
- *Jugo de 1/2 limón*
- *Ralladura de 1/2 limón*
- *Ralladura de 1/2 naranja*
- *1 y 1/2 potes de yogur entero de duraznos o de vainilla*
- *1/3 de taza de miel pasteurizada (125 g)*

preparación

1. Cortar los duraznos por la mitad y quitarles el carozo. Reservar dos mitades.
2. Colocar el resto de los duraznos en la procesadora, junto con el jugo de limón y las ralladuras. Procesar hasta obtener un puré.
3. Agregar el yogur, la miel y volver a procesar por unos instantes.
4. Verter la preparación en la máquina heladora. De lo contrario, colocar la mezcla en un recipiente de acero inoxidable y llevar al freezer, teniendo en cuenta que los recipientes de vidrio retardan el proceso.
5. Cuando se hayan solidificado los bordes y el centro esté aún algo blando, retirar del freezer y volver a colocar en la procesadora. Procesar hasta obtener una consistencia homogénea.
6. Volver a colocar la preparación en el freezer durante 15 minutos antes de servir.
7. Cortar cada mitad de durazno reservada en tres gajos y decorar cada copa con un gajo de durazno y una hojita de menta.

nota: *para hacer esta receta también se pueden utilizar duraznos en almíbar escurridos.*

agenda >

El .... / .... / ....
probó por primera vez este plato.

Le gustó

No le gustó

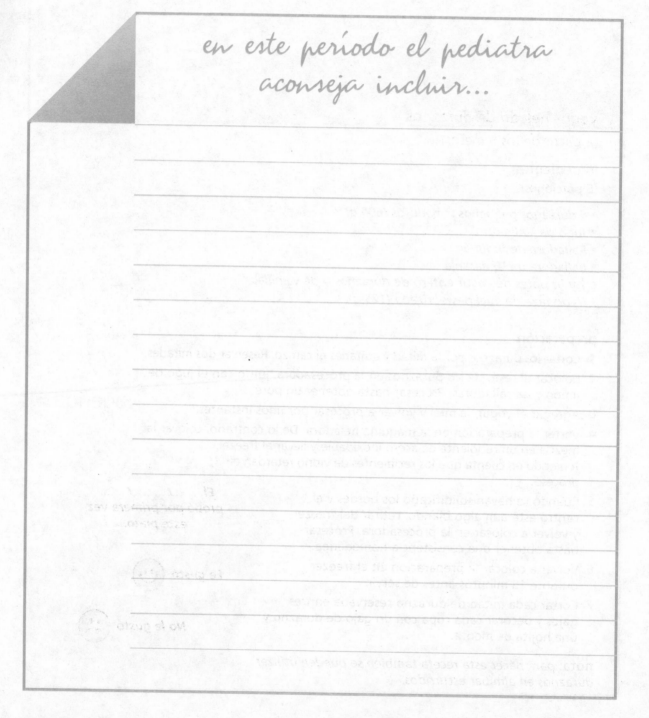

en este período el pediatra
aconseja incluir...

el niño deja atrás al bebé...
ya cumplió un año

1 a 2
años

La vida de su hijo y las conductas cambian permanentemente ¡Camina! ...y esto de desplazarse por sí mismo le muestra un mundo diferente.

Se pone de pie, trata de tocar todo lo que puede y se lleva a la boca los objetos. La nueva aventura implica descubrimientos y riesgos, que sin duda la obligarán a poner límites.

comiendo en familia

¿Ha llegado el momento de que el niño comparta totalmente la comida de la familia?

A través de este libro usted ya sabe que muchas veces es la familia la que puede compartir la comida del más pequeño, porque algunas de las recetas que están indicadas para el niño son aplicables a la mesa familiar.

Si tenemos que establecer una generalidad es bueno decir que puede compartir las comidas que NO incluyan:

> *Picantes.*

> *Ahumados.*

> *Embutidos y fiambres (tienen aditivos, conservantes y nitritos).*

> *Legumbres enteras.*

> *Verduras demasiado fibrosas crudas (como hinojo, apio, etcétera).*

hay que tener en cuenta: *a pesar de la buena educación alimentaria que le hemos impuesto a nuestro hijo aún su intestino no está preparado para tolerar excesos de fibras.*

qué cambios se deben atender en sus demandas nutricionales y alimentarias

Las demandas de energía comienzan a diferenciarse. Algunos niños son muy inquietos y, por supuesto, requieren una mayor cantidad de calorías que otros, más pasivos y tranquilos. Estas calorías deberán provenir de los glúcidos (hidratos de carbono): cereales, tubérculos, frutas, leche y azúcar, y de las grasas (por eso en esta etapa se le administra leche entera, quesos, manteca o crema y aceites). Si usted le da pecho y quiere continuar con alguna toma diaria, estará muy bien seguir manteniendo ese contacto. Pero debe saber que la calidad de su leche ya no es suficiente para el crecimiento y desarrollo intenso que su hijo experimenta. Por lo tanto necesita una alimentación completa integrada por los 5 Grupos Básicos de Alimentos (véase pág. 18).

El niño empieza a requerir más hierro. Es bueno recordar que los lácteos (leche, yogur y quesos) no son proveedores de ese mineral. Entonces, trate de incorporar diariamente un trocito de carne roja, ya que cuenta con el mejor hierro (HEM). También comienza a necesitar más zinc, que está presente en las carnes rojas, pescados y cereales completos.

no olvide utilizar *las combinaciones activadoras hierro-vitamina C, para facilitar la absorción del hierro que no es HEM. En la misma comida que incluya hojas verdes, alguna legumbre o harina de legumbres, trate de incorporar aquellos alimentos que sean fuente de vitamina C (cítricos o sus jugos, tomate, ajíes).*

es importante *que no administre como líquido durante las comidas o después de ellas, infusiones de mate, té y menos aún café. En todos los casos sus componentes inhiben la absorción del hierro.*

evite la inapetencia

> *Tenga presente que la capacidad gástrica del niño es reducida (30 a 60 g por kilo de peso). Por lo tanto, si el pequeño ingiere alimentos muy dulces o toma mucho líquido mientras come se llenará rápidamente y desechará otros alimentos que le son necesarios.*

> *Preste también atención al picoteo entre horas. Bastará un dulce (golosina o cereal dulce) antes de comer para que le reste apetito.*

> Si esto sucediera, no lo fuerce en ese momento, simplemente controle que eso no ocurra otra próxima vez.

> No le sirva un plato lleno.

> Deje que aprecie colores y en todo caso atraiga su atención con algún molde o figura o simplemente cambiando el plato convencional por otro más atractivo.

la importancia del desayuno

Su niño, de ahora en más, deberá ser educado para reconocer y aceptar la importancia de esta primera comida del día, que llega a su organismo luego de 10 a 12 horas de verse privado de alimentos. Para que esta primera comida del día cumpla sus fines debe proporcionar al organismo una combinación de:

ENERGÍA RÁPIDA + ENERGÍA DE LENTA PROVISIÓN
+ PROTEÍNAS, MINERALES Y VITAMINAS.

¿Cómo se logra esta combinación? Con los siguientes alimentos:

Lácteos: leche entera o yogur entero. Contienen azúcares, grasas, proteínas de óptima calidad, minerales y vitaminas.

Cereales y derivados completos: panificados, cereales fortificados para desayuno, harinas fortificadas, repostería casera adecuada. En este caso el almidón se liberará lentamente porque está combinado con proteínas, algo de fibras y grasas (que en lo posible deben ser saludables y no aceites vegetales hidrogenados que predominan en la galletitería industrial).

Azúcar: como tal, como miel o en frutas y jugos, para disponer de energía de rápida liberación.

Grasas (energía de reserva): aportadas por la leche entera o por quesos en el caso de que el niño tome poca leche.

Otra demanda que aumenta es el zinc, que también se cubre con la presencia de carnes, pescados y cereales (sobre todo los menos refinados) o los fortificados.

alimentos para no comer solito

No hay que dejar al pequeño comiendo solo los siguientes alimentos, porque puede atorarse y ahogarse.

> *Caramelos duros.*
> *Salchichas en trozos grandes (siempre cortarlas en forma transversal).*
> *Pasas de uva.*
> *Cerezas con carozo.*
> *Bananas.*

> *Uvas enteras.*
> *Aceitunas enteras.*
> *Nueces.*
> *Pochoclo.*
> *Trozos grandes de: manzanas, peras, zanahorias crudas, etcétera.*
> *Arvejas.*

algo más sobre la banana: *es una excelente fruta. Los niños la deben comer madura, por supuesto pelada y sin hilos.*
Si la procesa o la transforma en puré no olvide agregarle un par de cucharaditas de jugo de naranja o de limón para que no se oscurezca. Recuerde que ya tiene un 22 por ciento de glúcidos (hidratos de carbono), por lo tanto no necesita el agregado de azúcar o miel. Si se la da entera, debe vigilar que la mastique bien, porque si es inquieto o ansioso puede atragantarse. Vigile que tampoco camine mientras la come.

fomentando el consumo de verduras y frutas

El presentar las verduras de manera agradable y divertida a los niños –a partir de los primeros años– es fundamental para lograr el éxito en el consumo de verduras y frutas a lo largo de toda la vida. Aquí van propuestas:

1. Jugar al juego de los colores, cuanta más variedad de colores, más nutritiva será la comida. Preguntar cada día: "¿Comiste hoy algo rojo, algo amarillo y algo verde?".
2. Colocar diferentes verduras y frutas cortadas dentro de una cubetera (ejemplo: cubos de tomates, tiritas de zanahoria, bolitas de melón, arbolitos de brócoli, triangulitos de naranjas, etcétera) y reservar uno o dos espacios para colocar alguna pasta para untar (yogur, puré de pal-

ta, queso blanco, etcétera). A los pequeños les encanta mojar las verduras en la pasta y comerlas.

3. Utilizar verduras y frutas para decorar la comida (ojos de aceitunas, orejas de tomates, nariz de champiñón, bigote de morrón y boca de cebolla). Darle a cada uno de los integrantes de la familia su plato de polenta, o porción de pizza, o panqueque para que lo adorne con los trozos de verdura y frutas inventando su propio personaje.

4. Si es posible, armar una pequeña huerta en casa, o tener macetas con alguna verdura (tomatitos *cherry*, por ejemplo). Si los pequeños ven crecer y ayudan a cultivar las hortalizas y verduras, existe una mayor probabilidad de que quieran comerlas.

5. Cocine las verduras al vapor. Es la mejor forma de concentrar el valor nutritivo y mantener su sabor, fundamental para que los niños disfruten de ellas.

6. Llevarlo a la verdulería y dejarlo elegir lo que quiere comer. Fomentar la selección de diferentes colores para asegurar el aporte vitamínico mineral y proponer la prueba de un vegetal nuevo cada vez.

unas palabras acerca de los condimentos

A partir del año, cuando el niño amplía su menú, es importante tener presente que:

> *La sal no es imprescindible. Si usted desea utilizarla, debe ser con mucha sobriedad (apenas una pizca). Este consejo viene bien para toda la familia.*

> *Se puede apelar a algunos condimentos, pero siempre con moderación. Por ejemplo: nuez moscada, tomillo, pimentón dulce, azafrán y orégano (muy triturado).*

> *Las preparaciones, en gran medida aumentan su sabor por las distintas verduras aromáticas que incluyen: ajo, cebolla, morrón, perejil triturado y algunas hierbas que se utilizan para cocinar y luego se retiran: laurel, ramito aromático.*

> *Hay que tener una actitud moderada con los condimentos picantes. Después de los 2 años se puede dar un pequeño toque de pimienta blanca. Eso sí: evite el ají molido.*

> *Si en su casa son fanáticos de la salsa de soja, para el más pequeño elija una variedad con menos sal y condimente solo con gotas.*

recetario

Atención: la cantidad de porciones que se indica en cada receta son porciones para el bebé o el niño.

comidas

✓ flan de choclo acaramelado

(a partir de los 12 meses)

ingredientes
(6 porciones)

- 150 g de cebolla picada (una unidad mediana)
- 6 huevos
- 200 g de ricota
- 400 g de choclo desgranado

- Una cucharada colmada de fécula de maíz
- Una taza de leche
- 2 cucharadas de azúcar para el caramelo
- Spray vegetal antiadherente
- Una pizca de sal y nuez moscada

preparación

1. Acaramelar un molde para flan o flaneras individuales.
2. Rehogar la cebolla en una sartén antiadherente con spray vegetal. Se puede agregar una cucharada de agua y tapar el recipiente para que no se queme.
3. Licuar los huevos con la ricota, el choclo desgranado, la fécula y la taza de leche.
4. En un bol mezclar esta preparación con las cebollas y condimentar.
5. Volcar la preparación en el molde y cocinar en el horno a baño de María durante 45 minutos.
6. Entibiar, desmoldar y servir.

El........ / .... / ....
probó por primera vez este plato.

Le gustó

No le gustó

agenda >

✓ *muffins* de queso y orégano

(a partir de los 12 meses)

ingredientes
(20 unidades)

- *2 tazas de harina 000*
- *2 cucharaditas de té de polvo para hornear*
- *3 cucharadas de postre de queso parmesano rallado (elija el más suave)*
- *3 cucharadas de postre de queso Mar del Plata o fontina rallado*
- *1 puñado de orégano fresco picado*
- *$1/8$ de cucharadita de té de ajo en polvo*
- *Una pizca de sal*
- *Una taza de leche*
- *1 huevo ligeramente batido*
- *$1/4$ de taza de aceite neutro*

agenda >

El........ / .... / ....
probó por primera vez
este plato.

Le gustó

No le gustó

preparación

1. Precalentar el horno a 200 °C.
2. En un bol mezclar la harina junto con el polvo para hornear, los quesos, el orégano, el ajo y la sal.
3. Hacer un hueco en el centro y agregar la leche, el huevo y el aceite.
4. Revolver bien hasta que los ingredientes secos se humedezcan.
5. Colocar la preparación de a cucharadas en moldes individuales o en pirotines enmantecados sin llenarlos del todo ($3/4$ de la capacidad total).
6. Llevar al horno y cocinar durante 20 minutos o hasta que estén dorados.

✓ tirabuzones con berenjenas, tomate, mozzarella y albahaca

(a partir de los 12 meses)

ingredientes
(10 porciones aproximadamente)

- *1 diente de ajo picado (sin el brote)*
- *300 g de berenjenas cocidas, cortadas en cubos*
- *300 g de tomates, cortados en cubos*
- *Una cucharada de aceite de oliva*
- *200 g de tirabuzones*
- *120 g de queso mozzarella, cortado en dados de 1 cm de lado*
- *Una pizca de sal*
- *Hojas de albahaca*
- *Spray vegetal antiadherente*

preparación

1. Colocar spray vegetal en una sartén y saltear unos instantes el diente de ajo picado. Agregar las berenjenas y el tomate. Añadir la sal y una vez caliente retirar del fuego.

2. Añadir la cucharada de aceite, mezclar bien y reservar en un lugar caliente.

3. Hervir la pasta en abundante agua con sal, escurrirla e incorporar a la sartén. Para el niño, verifique que la pasta esté bien cocida

4. Agregar el queso mozzarella y calentar durante unos minutos.

5. Servir en platos individuales decorados con las hojitas de albahaca.

El........ / .... / ....
probó por primera vez
este plato.

Le gustó

No le gustó

agenda >

85

✓ pinchos de albóndigas con puré de berenjenas

(a partir de los 12 meses)

ingredientes
(10 porciones)

puré de berenjenas
- *2 cebollas pequeñas muy picadas (100 g) (previamente sumergidas en agua hirviendo)*
- *2 dientes de ajo picados*
- *Una cucharada de aceite de oliva*
- *2 berenjenas cocidas en el horno*
- *2 cucharadas de hojas de menta fresca picadas*
- *3 cucharadas de jugo de limón*
- *Una pizca de sal y pimienta blanca*

albóndigas
- *1 kilo de carne magra picada*
- *4 rebanadas de pan integral remojadas en leche y picadas*
- *4 cucharadas de perejil picado*
- *Harina de trigo, cantidad necesaria*

preparación

1. Para hacer el puré de berenjenas, en una sartén saltear la cebolla y los dientes de ajo en el aceite, hasta que estén transparentes sin que se doren. Reservar.

2. Pelar las berenjenas y procesar la pulpa. Reservar ¼ de taza y colocar el resto en un bol. Agregar la menta, el jugo de limón, la mitad de la cebolla y del ajo. Salpimentar apenas (porque ya tiene mucho sabor) y mantener en la heladera.

3. Para preparar las albóndigas, unir la carne picada, el pan, el resto de la cebolla y del ajo, el perejil y el ¼ de taza de puré de berenjenas reservado. Mezclar.

4. Formar 30 albóndigas pequeñas, pasarlas por harina y colocarlas de a tres en cada pincho de brochette. Colocar sobre una placa y cocinar en horno caliente hasta que se doren (unos 10 a 15 minutos).

5. Servir sobre una cucharada del puré de berenjenas.

agenda >

El........ / .... / ....
probó por primera vez este plato.

Le gustó

No le gustó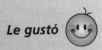

✓ pastel de pescado

(a partir de los 12 meses)

ingredientes

(12 porciones)

- 500 g de papas peladas y cortadas en trozos
- Una cucharada de manteca
- $\frac{1}{3}$ de taza de leche
- 200 g de filetes de pescado blanco (merluza, gatuzo, abadejo, brótola, etcétera)
- 200 g de salmón rosado o atún o trucha
- 2 cucharadas de postre de manteca (50 g)
- 2 cucharadas de postre colmadas de harina (50 g)

- 500 cc de leche
- Una taza de arvejas congeladas
- 2 huevos duros picados
- 2 cucharadas de queso reggianito o parmesano rallado
- 2 cucharadas de postre de perejil fresco picado
- Una pizca de sal y pimienta

preparación

1. Precalentar el horno a 200 °C.
2. Cocinar las papas en agua con sal, escurrir y pisar hasta obtener un puré. Agregar la manteca y la leche. Reservar.
3. En una asadera para horno, ubicar los pescados, salpimentar y cubrir con la leche. Hornear durante 10 minutos. Retirar el pescado y colocar la leche en un recipiente.
4. En una cacerolita, derretir la manteca y agregar la harina para hacer una salsa blanca. Cocinar revolviendo durante 2 minutos y verter de a poco la leche donde se cocinó el pescado, hasta que la salsa espese. Dejar enfriar.
5. Dividir la salsa blanca en dos y mezclar una parte con el pescado blanco y la otra con el salmón.
6. En una fuente de vidrio para horno o en moldecitos individuales colocar una capa del pescado blanco. Cubrir con las arvejas, el huevo duro picado, una capa del pescado rosado. Terminar con el puré de papas.
7. Espolvorear con queso rallado y llevar al horno durante 20 minutos.
8. Servir espolvoreado con el perejil picado.

agenda >

El .... / .... / .... probó por primera vez este plato.

Le gustó 🙂

No le gustó 🙁

✓ costillitas de cerdo con batatas y manzanas

(a partir de los 12 meses)

ingredientes
(6 porciones)

- *3 batatas pequeñas peladas*
- *3 costillitas de cerdo magras, de 1,5 cm de espesor*
- *3 cucharaditas de té de aceite de girasol*
- *3 manzanas verdes, peladas y sin el centro*
- *Una cucharadita de tamaño té, de canela*
- *Una pizca de sal*

preparación

1. Precalentar el horno a 200 °C.
2. Cortar las batatas en trozos regulares y cocinar al vapor o hervirlas hasta que estén a medio cocinar. Reservar.
3. Dorar las costillitas en una plancha caliente por ambos lados.
4. Colocar las costillitas y las batatas en una fuente para horno. Salar.
5. Cortar las manzanas en cuartos y acomodar sobre el cerdo y las batatas.
6. Espolvorear con la canela y tapar con papel de aluminio.
7. Cocinar durante 30 minutos o hasta que las costillitas estén tiernas.
8. Servir 1/2 costillita por porción junto con las batatas y manzanas, las que estarán completamente tiernizadas.

agenda >

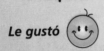

El........ / .... / .... probó por primera vez este plato.

Le gustó

No le gustó

✓ paquetitos del mar con crema de espinacas

(a partir de los 12 meses)

ingredientes
(4 porciones)

- 4 filetes chicos de merluza o abadejo (100 g cada uno)
- 4 hojas de masa philo o de strudel (puede ser comprada)
- Una cucharada de miel pasteurizada (20 g)
- 4 cucharadas de salsa de soja (40 g) (utilice la más suave)
- 4 cucharadas de queso crema (100 g)

crema de espinacas
- 2 paquetes de espinacas congeladas (800 g) o igual cantidad de espinacas frescas cocidas al vapor
- 1 pote de crema de leche (250 g)
- Una pizca de sal y nuez moscada
- 2 cucharadas de aceite de oliva
- 1 diente de ajo
- 20 tomatitos cherry (200 g)

preparación

1. Lavar los filetes de pescado y secarlos bien con toallas de papel. Cortarlos en trozos cuadrados de 2 cm de lado.

2. Cortar cada hoja de masa *philo* por la mitad y colocar el pescado sobre una de las mitades. Cubrir con una cucharadita de miel, una cucharada de salsa de soja y por último una cucharada de queso crema. Si la receta es para adultos, puede salpimentarse, aunque la salsa de soja ya tiene sal.

3. Envolver en la masa *philo* y utilizar la mitad restante de la masa para darle forma de paquete.

4. Colocar en placa para horno y hornear durante 15 minutos a 200 °C (temperatura moderada).

5. Para hacer la crema de espinacas, descongelar las espinacas y mezclar con la crema de leche. Condimentar con sal y nuez moscada. Calentar en el microondas o en una cacerolita a fuego suave.

6. En una sartén colocar el aceite de oliva y el diente de ajo. Agregar los tomatitos *cherry* enteros y saltear apenas unos segundos para calentarlos. Retirar el ajo. Servir cada paquetito con un poco de la crema de espinacas y 5 tomatitos *cherry*.

agenda >

El........ / .... / ....
probó por primera vez este plato.

Le gustó 😊

No le gustó 😟

✓ cerdo con salsa de miel, limón y almendras

(a partir de los 18 meses)

ingredientes

(8 porciones)

- 500 g de carré de cerdo cortado en cubos
- 2 cucharadas de aceite de oliva (20 g)
- Ralladura y jugo de 1 limón
- Una cucharada de miel pasteurizada (10 g)
- 25 g de almendras procesadas
- 2 cucharadas de perejil picado
- Una pizca de sal y pimienta
- Spray vegetal antiadherente

Puré de manzanas
- 4 manzanas verdes
- Una cucharada de azúcar
- Jugo de $1/2$ limón

preparación

1. Rociar una sartén con spray vegetal y saltear los cubos de cerdo hasta que se doren. Retirar y mantener calientes.

2. En la misma sartén agregar el jugo y la ralladura de limón, la miel y salpimentar.

3. Una vez que comience a hervir, incorporar el cerdo a la sartén, las almendras procesadas y cocinar durante 3-4 minutos. Luego agregar el perejil picado y apagar el fuego. Reservar.

4. Para hacer el puré, pelar las manzanas y cortarlas en rebanadas finas. Colocarlas en una cacerola, rociar con el jugo de 1/2 limón, una cucharada de azúcar y cocinar hasta que se ablanden. Procesar y mantener tibio.

5. Servir la carne de cerdo acompañada con el puré de manzanas

agenda >

El .... / .... / ....
probó por primera vez
este plato.

Le gustó 😊

No le gustó 😞

✓ strogonoff

(a partir de los 12 meses)

ingredientes
(8 porciones)

- 500 g de lomo o paleta magra
- Una cucharada de postre de manteca
- Una cucharada de aceite
- 2 cebollas pequeñas muy picadas
- Harina, cantidad necesaria
- Una taza de champiñones fileteados
- ½ taza de crema de leche
- Una pizca de sal

preparación

1. Cortar la carne en tiras finitas. Reservar.
2. En una sartén derretir la manteca y agregar el aceite. Incorporar la cebolla y tapar hasta que se ablande.
3. Pasar las tiritas de carne por harina, quitando el excedente. Incorporar a la sartén junto con las cebollas y cocinar durante unos 5 minutos. (Para que no se queme, pasado el primer momento puede agregar una cucharada ó 2 de agua).
4. Añadir los champiñones, la crema de leche y una pizca de sal. Mezclar bien y cocinar 5 minutos más.
5. Servir solo o acompañado con arroz blanco o puré.

agenda >

El .... / .... / ....
probó por primera vez
este plato.

Le gustó 😊

No le gustó 😞

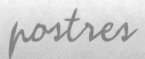

postres

✓ pan de calabaza Cenicienta

(a partir de los 12 meses)

ingredientes
(24 rebanadas)

- *2 huevos ligeramente batidos*
- *1/2 taza de aceite de girasol*
- *Una taza de puré de calabaza*
- *1/2 taza de azúcar negra*
- *1/2 taza de azúcar común*
- *2 tazas de harina 000*
- *Una cucharadita de té de polvo para hornear*
- *1/2 cucharadita tamaño té de canela*
- *Una cucharadita de té de nuez moscada*
- *1/4 de taza de agua*

preparación

1. Precalentar el horno a 180 °C.

2. En un bol batir los huevos junto con el aceite, el puré de calabaza y los dos tipos de azúcar.

3. Cernir los ingredientes secos en otro recipiente e incorporar a la mezcla anterior junto con las especias.

4. Por último, agregar el agua y mezclar bien.

5. Colocar la preparación en un molde de budín inglés enmantecado y llevar al horno.

6. Cocinar durante una hora o hasta que al insertar la punta de un cuchillo, ésta salga limpia.

7. Dejar descansar 10 minutos dentro del molde antes de desmoldar y enfriar sobre una rejilla.

agenda >

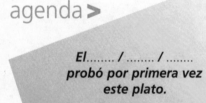

El........ / .... / ....
probó por primera vez
este plato.

Le gustó

No le gustó

✓ peras al azafrán con crema de queso blanco y miel

(a partir de los 12 meses)

ingredientes
(4 porciones aproximadamente)

- *4 peras no muy maduras, peladas*
- *$^1/_2$ litro de agua*
- *Jugo de $^1/_2$ limón*
- *Jugo de una naranja*
- *2 clavos de olor*
- *Una rama de canela*
- *Una cucharadita de esencia de vainilla*
- *Una cucharadita de azafrán en hebras*

crema
- *100 g de crema de leche*
- *Una cucharada de postre de miel pasteurizada*
- *100 g queso crema*

preparación

1. Lavar bien las peras y pelarlas. Cortarlas al medio en forma longitudinal.

2. En una cacerolita mezclar el agua, los jugos de frutas y las especias. Llevar a punto de ebullición y luego incorporar las peras asegurándose de que éstas queden sumergidas en el líquido. Bajar el fuego al mínimo y cocinar durante 30 minutos.

3. Retirar la cacerola del fuego y dejar enfriar las peras por completo (esto intensificará el color).

4. Para hacer la crema, en un recipiente batir la crema de leche a medio punto. Agregar la cucharada de miel y el queso crema y mezclar bien.

5. Servir las peras con su líquido de cocción y acompañarlas con la crema de queso blanco y miel. Decorar con unas hojitas de menta fresca.

El........ / .... / ....
probó por primera vez este plato.

Le gustó

No le gustó

agenda >

✓ galletas de avena, almendras y pasas

(a partir de los 12 meses)

ingredientes

(12 unidades grandes)

- *100 g de manteca*
- *75 g de azúcar rubia*
- *Una cucharada de postre de miel pasteurizada*
- *100 g de harina leudante*
- *Una pizca de sal*
- *100 g de avena fina*
- *50 g de almendras molidas*
- *50 g de pasas remojadas y escurridas*

preparación

1. Precalentar el horno a 180 °C (temperatura moderada).

2. Colocar la manteca, el azúcar y la miel dentro de una cacerola y calentar hasta que se derrita la manteca.

3. Agregar la harina, la sal, la avena, las almendras y las pasas. Mezclar bien hasta unir todos los ingredientes en una especie de masa pegajosa.

4. Tomar porciones con la ayuda de una cuchara y darles forma de bolita.

5. Aplastar apenas las bolitas sobre una placa enmantecada, asegurándose de que queden bien separadas entre sí. (Se terminan de achatar durante la cocción).

6. Cocinar durante 10 minutos, hasta que estén apenas doradas. (No hay que cocinarlas demasiado porque se pueden volver amargas).

7. Enfriar en una rejilla y guardar en frascos al vacío o en una bolsa ziploc.

agenda >

El......... / .... / ....
probó por primera vez
este plato.

Le gustó

No le gustó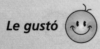

✓ torta *Buggs Bunny* para el té

(a partir de los 12 meses)

ingredientes

(20 porciones)

- *3 huevos*
- *150 g de azúcar rubia*
- *120 g de jarabe de maíz*
- *225 ml de aceite neutro (por ejemplo: girasol)*
- *250 g de harina leudante*
- *¼ de cucharadita de té de especias para tortas*
- *Una cucharadita de tamaño té de canela*
- *Una cucharadita de té de bicarbonato de sodio*
- *150 g de zanahoria rallada cruda*
- *40 g de coco rallado*

cobertura

- *75 g de azúcar impalpable*
- *250 g de queso crema*
- *2 cucharadas de postre de jugo de naranja*
- *Ralladura de ½ naranja*

preparación

1. Precalentar el horno a 150 °C (temperatura mínima).
2. En un bol mezclar los huevos con el azúcar, el jarabe de maíz y el aceite hasta que quede una preparación uniforme.
3. En otro recipiente tamizar la harina junto con las especias y el bicarbonato e incorporar en forma de lluvia a la preparación anterior.
4. Agregar la zanahoria rallada y el coco. Mezclar hasta obtener una pasta suave.
5. Volcar en un molde redondo de 20 cm de diámetro, enmantecado.
6. Llevar al horno y cocinar durante 45 minutos, hasta que al introducir un escarbadientes o la punta del cuchillo, salgan limpios.
7. Enfriar dentro del molde 10 minutos y desmoldar.
8. Para la cubierta, mezclar bien todos los ingredientes y cubrir la torta una vez fría.

agenda >

El........ / .... / .... **probó por primera vez este plato.**

Le gustó 😊

No le gustó ☹

✓ torta de naranjas Tata

(a partir de los 12 meses)

ingredientes
(20 porciones)

- *3 y ¹/₂ cucharadas de manteca (150 g aproximadamente)*
- *250 g de azúcar*
- *4 yemas*
- *Ralladura de una naranja*
- *Jugo de 2 naranjas*
- *250 g de harina común*
- *2 cucharaditas de polvo para hornear*
- *4 claras*

preparación

1. Precalentar el horno a 200 °C (temperatura moderada).

2. Batir la manteca y el azúcar hasta que resulte una preparación cremosa.

3. Añadir las yemas de a una y la ralladura y el jugo de naranjas.

4. Luego agregar la harina tamizada con el polvo para hornear.

5. En un recipiente limpio y seco, batir las claras a nieve e incorporarlas a la preparación anterior con movimientos envolventes.

6. Verter en un molde Savarin enmantecado y espolvoreado con azúcar.

7. Llevar al horno y cocinar durante 40 minutos, hasta que al introducir un escarbadientes o la punta del cuchillo, salgan limpios.

8. Enfriar dentro del molde unos 10 minutos y luego desmoldar.

agenda >

El .... / .... / ....
probó por primera vez
este plato.

Le gustó

No le gustó

✓ torta húmeda de remolachas

(a partir de los 18 meses)

ingredientes
(12 porciones)

- *100 g de harina integral*
- *225 g de azúcar*
- *Una cucharadita de té de especias para tortas*
- *Una cucharadita tamaño té de canela*
- *Una cucharadita de té de bicarbonato de sodio*

- *2 huevos*
- *175 ml de aceite neutro (por ejemplo de girasol)*
- *150 g de remolacha rallada cruda*
- *Azúcar impalpable para decorar*

preparación

1. Precalentar el horno a 180 °C (temperatura moderada).
2. En el bol de la procesadora colocar la harina, el azúcar, las especias y el bicarbonato .
3. Agregar los huevos y el aceite. Procesar hasta obtener una pasta suave.
4. Incorporar la remolacha rallada y volver a procesar.
5. Verter la preparación en un molde redondo de aproximadamente 20 cm de diámetro, previamente enmantecado.
6. Llevar al horno y cocinar durante 45 minutos, hasta que la torta esté cocida pero húmeda (al tocar la superficie con el dedo, éste no debe quedar marcado).
7. Retirar y enfriar sobre una rejilla. Espolvorear con azúcar impalpable.
8. Servir sola o acompañada con una bocha de helado o crema de leche semibatida.

El........ / .... / ....
probó por primera vez este plato.

Le gustó

No le gustó

agenda >

en este período el pediatra
aconseja incluir...

nuestro niño tiene dos años

2 a 3
años

Su hijo ya es un niño que tal vez hasta ha dejado de ser el más chiquito de la familia.

La edad se cuenta en años con los deditos de su mano y su personalidad empieza a verse más clara. Aunque, sin duda, se manifestará plenamente a partir del próximo año. Los desafíos con los que los pequeños enfrentan a sus papás entre los 3 y 5 años, son un exponente de la afirmación del yo, sólo comparable a la etapa de la adolescencia.

Usted debe estar preparada, porque estas exteriorizaciones del carácter inevitablemente repercutirán sobre la alimentación. Es más, casi siempre el campo de batalla se dará frente a los alimentos, a la hora de la comidas. Suele suceder que:

....deja de comer algo que hasta ahora comía.

....se resiste a aceptar las indicaciones de mamá.

....no quiere aceptar los horarios de las comidas.

No entre en estado de desesperación: ponga los límites que correspondan; luego, el niño se lo agradecerá.

su gasto energético

La actividad que despliega el niño es intensa y eso le significa un requerimiento importante de calorías diarias (entre 1.200 y 1.300), en un volumen reducido que se acomode a su capacidad gástrica aún pequeña, pero que además sea vehículo de las cantidades adecuadas de los macro y micronutrientes que necesita (proteínas, minerales y vitaminas).
Por esta doble razón es que el niño debe respetar las cuatro comidas diarias, más una o dos colaciones o pequeños bocados en ciertos momentos para que los intervalos entre comidas no se prolonguen demasiado (todo dependerá de sus hábitos y sus actividades).

> *Si es madrugador, tomará su desayuno probablemente muy temprano y a media mañana (tal vez después de un sueñito) volverá a tomar un refrigerio o algún bocadillo como colación.*

> *Si se perfila como noctámbulo e hiperactivo —esos niños que parecen no cansarse jamás y que esperan a su papá despierto—, seguramente antes de dormir necesite una pequeña colación ya que su cena fue temprana.*

Para dar soluciones a estas demandas las mamás deberán contar con una batería de ofertas:

> *Bocados saludables de pequeño volumen.*

> *Sólidos y firmes o cremosos, según el momento en que deban ser administrados.*

> *No necesariamente muy elaborados.*

> *Con poca concentración de azúcar.*

priorice la buena energía

Tenga presente que la buena energía para el niño es la que puede obtener con un trabajo digestivo normal, pero al mismo tiempo con una suficiente carga de nutrientes básicos.

> *Prefiera los alimentos que aportan almidones, en lo posible no del todo refinados. Siempre es mejor una avena o un cereal a una fécula y un pan que está elaborado con harina blanca, y un poco de harina integral a un pan excesivamente blanco.*

> *Nadie duda de que el niño necesita azúcares, pero elija los azúcares que vienen unidos a vitaminas y fibras como es el caso de las frutas maduras de estación, o a proteínas, minerales y vitaminas como por ejemplo en la leche o el yogur.*

> *No incorpore salvados puros, sobre todo de trigo, ya que los excesos de fibra insoluble pueden perturbar la absorción de algunos nutrientes esenciales como el calcio y el hierro.*

Tenga presente a las frutas secas trituradas o molidas, ya que son una excelente fuente de grasas (con ácidos grasos esenciales), igual que la palta. Los siguientes alimentos le servirán como buenos ejemplos.

> *Rebanaditas de pan con queso fresco o untable*

> *Queso fresco con trocitos de fruta*

> *Rebanaditas de pan con puré de garbanzos (pelados) con aceite (hommus)*

> *Postrecito pequeño y cremoso de arroz o avena con leche*

> *Gelatina con ricota*

> *Rebanaditas de pan con puré de berenjena o de palta*

papas fritas de copetín

¡Las papas fritas de copetín! ¡Qué producto que atrapa por igual a chicos y grandes!

No tenga duda de que aunque jamás se las haya comprado a su hijo, ni abunden en su casa, bastará el primer cumpleaños al que asista para probarlas y a partir de ese momento la atracción será fatal. ¿Sabía usted que las papas fritas son uno de los productos creados por el hombre más adictivos? Todo nos atrae: sabor, textura, ruidito que se genera al masticarlas.

Es casi inevitable que el pequeño quede atrapado por ellas.

¿Son malas? Los alimentos nunca son ni buenos ni malos; simplemente es un producto poco saludable.

> *Tienen excesiva sal.*

> *Han ganado grasas que suelen ser aceites modificados por calentamiento o aceites vegetales hidrogenados. En ambos casos hay fijación de grasas y del tipo que resultan dañinas para el organismo.*

> *Trate de que su presencia no sea frecuente. Se trata de esos bocados que deben reservarse para ocasiones especiales.*

Los mismos criterios son válidos para los palitos de maíz y los palitos salados. Tener en cuenta lo siguiente: poca cantidad y muy de tanto en tanto.

¿y el pochoclo?

Vale decir que es diferente. Son granos de maíz pisingallo, estallados por el calor.

En general se hacen con aceite, y de esta manera algo de grasa fijan pero mucho menos que los productos citados en los párrafos anteriores. Se puede conseguir pochoclo dulce (no lleva demasiada azúcar) y salado. Además, siempre queda la posibilidad de hacerlos en casa con un mínimo de aceite o sin nada.

De todas maneras, para los niños más grandecitos, ésta es una golosina permitida.

avance en la educación alimentaria

Desde que comenzó a administrarle alimentos, usted fue educando progresivamente el paladar de su hijo para aceptar distintos sabores y diferentes texturas. Gracias a esa tarea él llegará a esta edad conociendo y aceptando verduras, frutas y preparaciones culinarias que de otra manera no hubiera conocido y que de hecho muchos niños no conocen. Pero no crea que la tarea está terminada. A partir de este momento el desafío es que el pequeño mastique. Para eso salen dientes y muelas y cada uno de ellos debe cumplir con su tarea: cortar, desgarrar, triturar. Sin duda que las preparaciones procesadas se comen con mayor facilidad, pero no caiga en esa comodidad. Es bueno que el niño se acostumbre a pinchar los alimentos que usted le corta o a morder los trozos de alimentos sólidos que se le suministran. Ejercite estas modalidades en los momentos en que su hijo no esté demasiado cansado o tenga sueño, ya que se quedará dormido en el intento o dejará de comer.

previniendo un adulto obeso

En el afán de hacer prevención de obesidad –sobre todo en las familias donde algún abuelo o tío es obeso– se suelen cometer serios errores. La prevención en los niños no pasa por hacer dietas, ni por comer alimentos especiales, sino por cumplir una alimentación completa y saludable o sea adecuada a sus reales necesidades.

Recuerde que los niños necesitan buenas grasas proveedoras de ácidos grasos esenciales y también colesterol, para su crecimiento y su desarrollo, aunque seguramente no excesivas, ni grasas alteradas por exagerados calentamientos. Al respecto vale la pena recordar que un niño que disfruta de verduras y frutas siempre es un niño (y será un adulto) que consume menos grasas. El camino más efectivo pasa por incentivar los movimientos y juegos al aire libre y la práctica de deportes: ésta es una inmejorable manera de gastar la energía que brinda la ingesta, sin que se transforme en exceso de grasa corporal.

Esta acción protectora lo ayudará mucho en la vida adulta ya que estará evitando que se multipliquen las células grasas (adipositos), hecho que ocurre en la primera infancia, si se cursa con sobrepeso. Este punto es muy importante porque los adipositos formados no se reducen en número durante el transcurso de la vida: podrán no cargarse de grasas si el plan de vida es saludable, pero también son susceptibles de llenarse muchísimo, cosa que ocurre cuando por alimentación excesiva en calorías o mínimos gastos energéticos se aumenta de peso sobre el considerado saludable.

salidas al restaurante

Las salidas con niños pequeños siempre deben programarse, ya que los imprevistos ponen muy nerviosos tanto a los padres como a los hijos.

> *Cuando el niño es aún bebé las preparaciones culinarias se reservarán para la casa, y se podrá darle de cenar o de almorzar antes de salir.*

> *Si la salida lo amerita porque se prolonga demasiado, vale la pena tener a mano algún frasquito de* baby food *para dárselo, con absoluta confianza por sus condiciones de seguridad.*

> *Si supera el año de edad, es probable que el pequeño, cuando salgan a comer afuera y aunque le hayan dado de comer previamente, quiera compartir o probar algún alimento de los que comen sus papás. Por este motivo, alguno de los papás –generalmente la mamá– pedirá una preparación simple para poder compartir, con un pedido especial de plato extra y cucharita para el niño. Por ejemplo:*
>   - *Pechuga de pollo grillé*
>   - *Lomo o cuadril a la parrilla (bien cocido)*
>   - *Puré de calabaza o de papas*
>   - *Rodajas de calabaza al vapor*
>   - *Filet de salmón grillé*
>   - *Ñoquis de papa o de calabaza con aceite, manteca o crema*
>   - *Flanes*
>   - *Manzana asada*

> *Cuando el niño sea más grande, siempre recurra a alimentos cocidos y a preparaciones muy simples.*

> *Aunque ya haya comido frituras en el hogar, no le dé frituras en restaurantes.*

> *Pida los platos sin condimentar y hágalo usted en la mesa con aceite, manteca o crema.*

comida de vacaciones

En vacaciones la cocina se simplifica al máximo, pero también se debe estar prevenido de los riesgos que significan las altas temperaturas. Por acción del calor los alimentos sufren un deterioro microbiano y siempre está presente el riesgo de deshidratación que amenaza al niño.

> *Tenga a mano agua segura; puede ser agua mineral de bajo contenido de sodio.*

> *Para los bebés, la leche materna es el alimento más inobjetable.*

> *Las leches de fórmula preparadas en la cantidad que el bebé va a tomar, también son absolutamente confiables. El sobrante se debe tirar.*

> *Son válidos los cereales fortificados para ser consumidos sin cocción, mezclados con leche.*

fiambres: ¿sí o no?

Ya se mencionó en más de una oportunidad la cantidad de aditivos y conservantes que contienen.

> *Casi todos los fiambres tienen nitratos y nitritos (necesarios como seguridad contra el botulismo). Además de una cantidad elevada de sal y de altas proporciones de grasas, muchos cuentan con resaltadores de sabor (como el glutamato monosódico), y con diversas especias (sobre todo los salchichones, salames y mortadelas).*

> *En general no son alimentos saludables ni para los chicos ni para los grandes.*

> *Si en algún momento, después del año, le administra unos pequeños bocados de jamón cocido, trate de que sea de vez en cuando y no lo someta al calor directo (no lo fría ni lo ase). Una buena opción es mezclarlo muy picadito con una pasta recién hervida.*

> *No le dé embutidos, tipo chorizo o longaniza, porque tienen también muchas grasas, aditivos y conservantes.*

> *Las salchichas de Viena en general se elaboran con una pasta de carne muy picada combinada con nitritos, nitratos, antioxidantes, grasas, almidón, especias y saborizantes. La mezcla se cocina lentamente y algunas veces, para mayor seguridad, se pasteuriza (debe decirlo en el envase), se enfría y se envasa. Las que se venden sueltas no aseguran estos pasos.*

> *¿Imaginaba usted todos estos componentes? Ahora se dará cuenta de por qué no se los recomendamos a niños menores de 3 años.*

> *Una consigna de oro: asegurar la responsabilidad de una marca a la hora de la compra.*

la tentación del dulce de leche

Es otro de los alimentos que apasiona a grandes y a chicos.

> *Como todo dulce tiene un aporte de azúcar muy significativo (más del 60 por ciento).*

> *Al provenir de leche entera posee una cantidad de grasas del 8 al 10 por ciento.*

> *En una cucharada sopera de dulce de leche (30 g) se concentran el calcio y las proteínas de la leche. Su consumo aporta 90 a 100 mg de calcio (un poco menos que 100 cc de leche) y alrededor de 2 g de proteínas (por supuesto, con más calorías y más grasas que la leche).*

> *Cuando usted decida agregar azúcar a la alimentación de su niño (porque es muy activo o delgado), no vacile en incorporar el dulce de leche como unidad de intercambio.*

el irresistible chocolate

Es el producto que se elabora con un amasado de pasta de cacao, azúcar, glucosa, leche en polvo, aromatizantes y emulsionantes (en distintas proporciones, según los tipos y calidades).

> *Si usted piensa que el chocolate blanco es más sano para su niño, está equivocada. Es casi todo azúcar y manteca de cacao (grasa) y no tiene pasta de cacao (el verdadero chocolate).*

> *El chocolate amargo, en cambio, cuenta con menos azúcar y una fuerte presencia de pasta de cacao (con un mejor tipo de grasas).*

> *Conclusión: todo chocolate es un producto rico en grasas que debe ser ingerido con moderación y ocasionalmente.*

> *Tampoco son saludables los sustitutos de chocolate para coberturas, pues se realizan en base a aceites vegetales hidrogenados. Se reconocen porque se ablandan con mayor facilidad.*

> *Cuando decida ofrecerle chocolate al niño no vacile en elegir poca cantidad pero buena calidad.*

pequeñas viandas saludables

Tal vez su niño no concurra a un jardín de infantes hasta los 3 años, pero también puede ocurrir que alrededor de los 2 deba frecuentar algún jardín maternal. Y es probable, además, que haya que prepararle alguna vianda. Si es así, le conviene saber que las viandas deben ser un pedacito de la cocina de mamá en otro ámbito. Por lo tanto, trate de que las preparaciones que ponga en la vianda sean caseras y asegúrese de que las cocciones sean completas. Nunca envíe trozos de carne rosada o pollo que no estén bien cocidos y hable con la maestra para pedir que mantengan en la heladera lo que corresponda, ya que la seguridad es importante. Seguramente el jardín contará con un horno de microondas para el calentamiento de las preparaciones.

Tenga presente también que para esta época (y más aún en los próximos años) la influencia de los demás niños y sus hábitos harán impacto. Quizás algún alimento (generalmente vegetales), que sí come en casa, no lo quiera comer en el jardín. ¿El motivo? La cara de desagrado de los demás niños. Respete estas conductas que tienen que ver con la aceptación social pero continúe ofreciendo la totalidad de los alimentos en las comidas hogareñas.

En una vianda se busca practicidad y preparaciones completas como:

> Pastas con queso fresco y huevo duro picado
> Pastel de papa o batata con pollo
> Croquetas horneadas de papa y pescado
> Tortillas de papa y zapallitos
> Budines de verdura
> Mini sándwiches con palta y atún
> Muffins con nueces molidas
> Trocitos de frutas con queso crema

recetario

Atención: la cantidad de porciones que se indica en cada receta son porciones para el bebé o el niño.

comidas

✓ milanesitas de mozzarella

(a partir de los 2 años)

ingredientes
(16 unidades aproximadamente)

- *½ taza de semolín ultrafino (puede ser fortificado y de cocción rápida)*
- *½ taza de pan rallado (100 g)*
- *1 huevo*

- *Una pizca de sal y pimienta*
- *Perejil y ajo muy picados*
- *200 g de queso mozzarella*
- *Aceite para freír*

agenda >

*El .... / .... / ....
probó por primera vez
este plato.*

Le gustó

No le gustó

preparación

1. Unir el pan rallado con el semolín ultrafino y colocar en una asadera profunda.

2. En un bol mezclar el huevo con los condimentos.

3. Cortar el queso en cuadraditos de 4 cm de lado y presionarlos sobre la mezcla de pan rallado, cubriendo bien todos los costados.

4. Pasar los cuadraditos de queso por el huevo batido y, por último, volver a rebozarlos con el pan rallado.

5. En una cacerola profunda con abundante aceite bien caliente freír de ambos lados hasta que se doren. Debe ser una fritura muy rápida.

6. Servir con vegetales.

✓ *hommus* o pasta de garbanzos

(a partir de los 2 años)

ingredientes

- *125 g de garbanzos remojados durante toda la noche y escurridos*
- *2 cucharadas de postre de* tahine *(pasta de sésamo) o semillas de sésamo trituradas*
- *2 cucharadas de postre de aceite de oliva*
- *Jugo de 1/2 limón*
- *1 diente de ajo picado fino (sin el brote) (opcional)*
- *Una pizca de sal*

preparación

1. Colocar en una cacerola los garbanzos, cubrir con agua fría y llevar al fuego.
2. Cuando rompa el hervor, cocinar a fuego mínimo durante 2 y 1/2 horas hasta que estén tiernos. Colar y reservar 1/2 taza del líquido de cocción.
3. Colocar todos los ingredientes, menos el líquido de cocción, en el vaso de la licuadora.
4. Comenzar a licuar e ir agregando el agua de la cocción de los garbanzos que se reservó hasta lograr una consistencia de puré (es preferible que quede un poco chirle ya que se espesa luego de unos minutos de preparado).
5. Condimentar con una pizca de sal y servir como *dip*, para untar verduras cortadas en tiritas (zanahorias, morrones, apio, etcétera).

agenda >

El........ / .... / ....
probó por primera vez este plato.

Le gustó 😊

No le gustó 😕

✓ salteado chino de pavo

(a partir de los 2 años)

ingredientes

(8 porciones)

- Una cebolla cortada en medios aros
- 500 g de pavo cortado en tiras
- 2 zanahorias cortadas en juliana (tiras finitas)
- Una manzana verde pelada y cortada en cubos
- 2 zapallitos verdes cortados en cubos pequeños

- Una cucharada de almidón de maíz (10 g)
- Una cucharada de salsa de soja
- Una cucharadita de jengibre fresco rallado
- Una taza de jugo de naranja (120 ml)
- 2 cucharadas de aceite de girasol (20 g)
- 100 g de brotes de soja
- Una pizca de sal y pimienta

preparación

1. Calentar el aceite en un wok. Agregar la cebolla y cocinar durante 3 minutos sin que se llegue a dorar.
2. Añadir las tiras de pavo y cocinar revolviendo constantemente durante 3-4 minutos.
3. Incorporar al wok las zanahorias en juliana, la manzana y los zapallitos. Salpimentar y cocinar unos minutos más.
4. En un recipiente mezclar el almidón de maíz junto con la salsa de soja, el jengibre y el jugo de naranja. Agregar al wok y cocinar hasta que la salsa comience a espesar y se vea brillante (1-2 minutos).
5. Por último incorporar los brotes de soja y cocinar hasta que se calienten.
6. Servir solo o acompañado con arroz blanco o fideos cocidos.

agenda >

El......... / .... / ....
probó por primera vez
este plato.

Le gustó

No le gustó

✓ chow fan con huevo

(a partir de los 2 años)

ingredientes
(6 porciones aproximadamente)

- *1 y 1/2 tazas de arroz basmati*
- *Una zanahoria pelada y cortada en rodajas finas*
- *1/2 taza de arvejas congeladas*
- *1/2 morrón rojo sin semillas cortado en cubitos*
- *2 huevos ligeramente batidos*

- *Una cebolla pequeña finamente picada*
- *Una cebolla de verdeo finamente picada*
- *3 cucharadas de aceite de girasol*
- *2 cucharadas de postre de salsa de soja*
- *Una pizca de sal*

preparación

1. En una cacerola, colocar una cucharada del aceite y saltear el arroz apenas unos segundos. Agregar 2 y 1/2 tazas de agua hirviendo, una pizca de sal (apenas, porque el plato lleva salsa de soja que ya tiene sal). Revolver y tapar la cacerola. Cocinar hasta que se evapore todo el líquido y el arroz esté tierno.

2. Cocinar al vapor la zanahoria, las arvejas y el morrón durante 5 minutos.

3. En una sartén colocar otra cucharada de aceite y freír los huevos batidos hasta que estén cocidos. Retirar y cortar en finas tiras.

4. En un wok verter la cucharada de aceite restante y rehogar la cebolla hasta que se ablande. Incorporar los vegetales y el arroz y cocinar revolviendo durante 2 minutos más.

5. Agregar las tiritas de huevo y la cebolla de verdeo al wok junto con la salsa de soja y cocinar revolviendo durante 1 minuto.

6. Servir solo o acompañando alguna carne.

agenda >

El .... / .... / .... probó por primera vez este plato.

Le gustó 😊

No le gustó 😞

✓ minihamburguesas de cerdo

(a partir de los 2 años)

ingredientes
(6 porciones)

- *1/3 de taza de nueces peladas*
- *8 ciruelas desecadas sin carozo (tiernizadas o semihidratadas)*
- *250 g de carne magra de cerdo picada*
- *Una cucharadita de nuez moscada*
- *Una pizca de sal y pimienta*

salsa
- *Aceto balsámico*
- *Dos cucharadas de agua o caldo*

preparación

1. Picar las nueces y las ciruelas. Reservar.

2. En un bol colocar la carne de cerdo y condimentar.

3. Agregar las nueces y las ciruelas.

4. Formar las hamburguesas y cocinarlas en una sartén pincelada con aceite. Retirar y mantener caliente mientras se prepara la salsa.

5. Para hacer la salsa, en la misma sartén donde se cocinaron las hamburguesas colocar un poco de aceto balsámico e incorporar dos cucharadas de agua o caldo. Dejar reducir hasta que tome consistencia de jarabe.

6. Servir la salsa sobre las hamburguesas, acompañadas con puré de batatas.

nota: para semihidratar las ciruelas desecadas, dejarlas en remojo unas horas.

agenda ❯

El........ / .... / ....
probó por primera vez
este plato.

Le gustó

No le gustó

✓ hamburguesas vegetarianas

(a partir de los 2 años)

ingredientes
(12 porciones)

- *250 g de papas peladas y cortadas en trozos*
- *Una cucharada de postre de manteca*
- *Una cebolla pequeña, pelada y finamente picada*
- *2 puerros finamente picados*
- *3 ó 4 flores de brócoli cortadas en trozos pequeños*
- *1/2 taza de champiñones picados*
- *Una zanahoria pelada y rallada*
- *1/3 de taza de choclo en granos*
- *Una cucharada de postre de ketchup o puré de tomate*
- *Una cucharada de postre de perejil picado*
- *3 cucharadas de queso Mar del Plata rallado grueso*
- *Una pizca de sal y pimienta*
- *Harina, cantidad necesaria*
- *2 huevos ligeramente batidos*
- *Pan rallado, cantidad necesaria*
- *Aceite vegetal para freír, cantidad necesaria*
- *12 panes de hamburguesa pequeños (opcional)*

agenda ❯

preparación

1. Cocinar las papas en agua con sal, escurrir y pisar.
2. En una sartén derretir la manteca y rehogar la cebolla y los puerros durante unos minutos.
3. Agregar el brócoli, los champiñones, la zanahoria y el choclo y cocinar 2 ó 3 minutos más.
4. Incorporar el puré de papas, el ketchup, el perejil y el queso. Salpimentar.
5. Formar las hamburguesas y pasarlas primero por harina, luego por huevo batido y por último rebozarlas con pan rallado.
6. Freírlas en una cacerola profunda y de boca angosta con abundante aceite, por inmersión, hasta que estén doradas. Servirlas solas o en un pan.

El........ / .... / ....
probó por primera vez
este plato.

Le gustó ☺

No le gustó ☹

postres

✓ flapjacks

(a partir de los 2 años)

ingredientes
(12 unidades grandes)

- *110 g de manteca derretida*
- *110 g de azúcar negra*
- *Una cucharada de postre de jarabe de maíz*
- *175 g de avena arrollada instantánea*

preparación

1. Precalentar el horno a 180 °C (temperatura moderada).
2. Colocar en una cacerola la manteca, el azúcar y el jarabe de maíz y calentar hasta que se derrita la manteca.
3. Agregar la avena y retirar del fuego. Mezclar bien.
4. Verter la preparación dentro de una fuente rectangular enmantecada y presionar bien, emparejando la superficie.
5. Cocinar durante 10 minutos, hasta que los bordes comiencen a dorarse.
6. Dejar enfriar 5 minutos dentro del molde y cortar la preparación en rectángulos de 3 por 6 cm aproximadamente.
7. Enfriar completamente, retirar del molde y guardar al vacío en frascos o en bolsas *ziploc*.

agenda >

*El........ / .... / ....
probó por primera vez
este plato.*

Le gustó

No le gustó

✓ *cheesecake* con frutillas

(a partir de los 2 años)

ingredientes
(16 porciones)

- *200 g de galletitas dulces molidas*
- *50 g de salvado de avena*
- *100 g de manteca derretida*
- *Una taza de ricota entera (250 g)*
- *$1/2$ taza de yogur natural entero (120 g)*
- *$1/3$ de taza de queso crema (150 g)*
- *$1/2$ taza de azúcar (100 g)*

- *Una cucharadita de esencia de vainilla*
- *Jugo de $1/2$ limón*
- *Ralladura de 1 limón*
- *2 huevos*
- *Una cucharada de fécula de maíz*
- *500 g de frutillas lavadas y sin cabito*
- *Azúcar y jugo de limón a gusto*

preparación

1. Precalentar el horno a 160 °C (mínimo).

2. Para hacer la base, procesar las galletitas junto con el salvado de avena. Retirar y mezclar con la manteca derretida.

3. Colocar en un molde redondo y desmontable forrado con papel manteca enmantecado. Presionar bien con la parte de atrás de una cuchara o con el pisapuré. Llevar a horno moderado durante 10 minutos.

4. En un bol grande, poner la ricota, el yogur, el queso crema, el azúcar, la esencia de vainilla, el jugo y la ralladura de limón. Mezclar bien con cuchara de madera hasta obtener una pasta lisa y homogénea.

5. Agregar los huevos de a uno y unir bien.

6. Incorporar la fécula de maíz tamizada y verter la preparación dentro del molde, sobre la base de galletitas.

7. Llevar nuevamente al horno durante una hora. Dejar enfriar dentro del horno con la puerta abierta.

8. Lavar las frutillas y filetearlas. Rociar con jugo de limón y azúcar a gusto. Servir con frutillas fileteadas.

agenda >

El......... / .... / ....
**probó por primera vez
este plato.**

Le gustó

No le gustó

115

en este período el pediatra
aconseja incluir...

bibliografía

> *Recomendaciones para la alimentación de niños normales, menores de 6 años,* Doctor Alejandro O' Donell, E. Carmuega, C. Machain Barzi, CESNI,1996.

> *Tu hijo - Comer para crecer,* Planeta - DeAgostini, 1995.

> *Super Foods for Babies and Children,* Annabel Karmel s, Ebury Press, London.

> *Guías alimentarias para la población argentina,* 2000.

> *Nestlé Nutrición,* Rev., 2001.

> *Eating Right, Time Life Books,* Alexandria, Virginia.

> *El emparedado favorito de mi abuela y otras recetas que los niños pueden preparar,* Ivette O. Delucca.

> *365 Foods Kids Love to Eat,* Sheila Eclison y J. Gray.

glosario de términos hispanoamericanos

Ají: pimiento, chili, chile, guindilla.
Ajo: alium, alio.
Alcaucil: alcachofa.
Ananá: piña.
Arvejas: alverjas, guisantes, petit pois.
Azúcar impalpable: azúcar de lustre, flor, glass, en polvo.
Banana: plátano, guineo, cambur.
Batata: camote, boniato.
Bife: filete.
Cerdo: chancho, puerco.
Chaucha: judía verde, vainita, habichuela, ejote, poroto verde, frijolito verde.
Choclo: mazorca tierna, elote, maíz, maíz nuevo, jojote.
Crema de leche: nata.
Durazno: melocotón.

Fécula: almidón.
Frutilla: fresa.
Jugo: zumo.
Manteca: mantequilla.
Miel: melaza.
Palta: aguacate.
Papa: patata.
Pomelo: toronja, gray frut, graifu.
Remolacha: beterava, betarraga, betabel.
Sandía: patilla, melón de agua.
Soja: soya.
Tomate: jitomate.
Zapallitos largos: *zucchini*, calabacín, güicoy, pipián.
Zapallo: ayote, chiverre, huyama, ahuyama.

índice